# ESPAÑOL EN DIRECTO

## NIVEL 1B

AQUILINO SANCHEZ / MANUEL RIOS / JOAQUIN DOMINGUEZ

# ESPAÑOL EN DIRECTO

## NIVEL 1B

SOCIEDAD GENERAL ESPAÑOLA DE LIBRERIA, S. A.
MADRID

Primera edición, 1975
Segunda edición, 1977
Tercera edición, 1978
Cuarta edición, 1979
Quinta edición, 1980
Sexta edición, 1982
Séptima edición, 1984
Octava edición, 1985
Novena edición, 1986
Décima edición, 1987
Undécima edición, 1988
Duodécima edición, 1989
Decimotercera edición, 1990
Decimocuarta edición, 1991
Decimoquinta edición, 1992
Decimosexta edición, 1993
Decimoséptima edición, 1994
Decimoctava edición, 1995
Decimonovena edición, 1996

Producción:
SGEL-EDUCACION
Marqués de Valdeiglesias, 5. 28004 Madrid

ISBN: 84-7143-050-9
Depósito legal: M. 43.251-1995
Impreso en España - *Printed in Spain*

Colaboración especial: José A. Matilla
Dibujos: M.ª del Carmen Bachs
Portada: Julián Santamaría

Imprime: ROGAR, S. A.

*Encuaderna: NOVIMAR, S. A.*

**Español en Directo, Nivel 1B,** es la parte que completa el *Nivel 1*. Su utilización ha de ser precedida, pues, del *Nivel 1A,* del cual es continuación. La estructuración del *Nivel 1* está pensada y organizada de tal manera que al final del mismo el alumno posea todos los elementos fundamentales del español. En el aspecto oral el alumno ha de ser capaz de mantener una conversación de carácter elemental sin restricciones notables tanto de vocabulario como de estructuras gramaticales; en el lenguaje escrito ha de ser igualmente capaz de expresarse con corrección en frases no complejas; en lo referido a la comprensión oral se espera que el alumno entienda sin dificultades cualquier tipo de diálogo que se desarrolle en una situación normal y siempre que no se utilice vocabulario especializado (el vocabulario manejado en el *Nivel 1* oscila alrededor de las 1.500 palabras).

Para lograr estos fines el presente método pretende que el alumno aprenda español de manera completa y eficaz. Al decir «completa» damos a entender que no nos limitamos a resaltar solamente las reglas o estructuras gramaticales, o la parte oral, o los ejercicios escritos.

Dado que cualquier lengua es fundamentalmente un *instrumento de comunicación,* queremos presentarla bajo este punto de vista y desde esta perspectiva.

Abarcamos, por tanto, no solamente el campo de las reglas y estructuras gramaticales, presentadas aquí de manera amena, clara y teniendo en cuenta la gradación en las dificultades, sino también la introducción y utilización del vocabulario dentro de un contexto natural, la insistencia en la práctica oral para familiarizarse con las reglas y estructuras de cada lección, la expresión oral creadora y no meramente repetitiva y, finalmente, la expresión escrita (por medio del cuaderno de ejercicios que acompaña a cada libro). A este respecto no olvidamos que actualmente para muchos es importantísimo el dominio de un idioma en el aspecto escrito tanto como en el oral, pues, en definitiva, la cultura actual se transmite a ambos niveles.

El fin primordial de aprender a *comunicarse* en español se pretende conseguir en cada lección por medio de:

1. Un **Diálogo,** que se ajusta a una situación natural. En él se introduce nuevo vocabulario, así como los puntos gramaticales sobre los cuales se llama la atención. Tanto lo uno como lo otro se dan, pues, dentro de un contexto.

2. **Esquema gramatical:** Presentación clara y sencilla de los puntos gramaticales. A dicho esquema siguen algunos ejercicios prácticos de carácter eminentemente oral. Los ejercicios escritos se reservan para el «Cuaderno de ejercicios» que acompaña al método.

3. **Amplíe:** Introducción de diferentes novedades (vocabulario, algunas precisiones sintácticas, morfológicas, etc.), todo ello visualizado mediante un dibujo, para lograr mejor la *relación directa entre objeto, situación y lengua que se pretende aprender,* tratando así de impedir la interferencia de la lengua nativa.

4. **Hable:** El alumno debe basarse exclusivamente en el dibujo y ejercitarse en la práctica del español utilizando y siguiendo las indicaciones que se le dan en cada caso. También aquí se intenta eliminar la interferencia de la lengua nativa.

5. Tanto el **Amplíe** como el **Hable** suelen ir seguidos de ejercicios prácticos **(Practique).**

6. En ocasiones se hace alguna observación especial **(Observe, Recuerde)** con el fin de llamar la atención sobre los puntos que consideramos de mayor interés e importancia.

7. La **Situación:** Tiene por objeto la práctica de la creatividad del alumno en la expresión oral. Las situaciones son paralelas a las del diálogo y se mueven dentro del área de vocabulario ya conocido.

Todas ellas suelen tener una ligazón temática y se espera que el estudiante encuentre suficientes estímulos en los dibujos para crear un diálogo natural, utilizando así el vocabulario aprendido dentro de su contexto.

8. Periódicamente se introducen cuestiones fonéticas o de entonación. No se trata de una presentación exhaustiva. Se llama la atención sobre problemas específicos que consideramos de mayor interés o dificultad.

La pronunciación, así como la entonación, han de tener desde el principio una gran importancia en la clase. A tal fin, en el método ofrecemos un «Manual práctico de corrección fonética», acompañado de cintas magnetofónicas, que puede ser utilizado como material complementario y sistematizado.

A este libro acompañan, además del «Cuaderno de ejercicios», un conjunto de «Estructuras gramaticales» relacionadas con cada lección para la práctica en el laboratorio de idiomas. Aunque no creemos que el aprendizaje de una lengua sea algo totalmente mecánico, no obstante, consideramos importante, en especial en los primeros niveles, la repetición de estructuras fundamentales para que el alumno se habitúe más fácilmente a la lengua que aprende.

Se ofrecerá igualmente un conjunto de diapositivas adecuadas a cada lección. Esto facilitará la utilización del proyector en la clase y, en consecuencia, la participación activa del grupo en la práctica oral de modo más efectivo.

Esperamos ofrecer así una contribución de interés a todos aquellos que estén interesados en el aprendizaje del español como segunda lengua. Una contribución actual, amena, eficaz, fruto de años de experiencia en el campo de la enseñanza, conjugados con los estudios lingüísticos de hoy en día.

Todos los días me levanto a las siete. Voy al cuarto de baño, me ducho, me afeito y me peino.

A continuación regreso a mi cuarto y me visto.
Mi hermano duerme en la misma habitación. Siempre se despierta más tarde. Es muy perezoso. A veces está en la cama hasta las diez. No trabaja. Va a la Universidad, pero a veces se queda durmiendo porque las clases no son interesantes.

Mis padres también se levantan a las siete. Mi madre prepara el desayuno y mi padre lee` el periódico.

A las ocho desayunamos y salimos a la calle. Mi padre y yo vamos a la oficina, mi hermano a la Universidad y mi madre se va de compras.

Por la noche nos reunimos todos de nuevo. Cenamos, vemos la televisión y luego nos acostamos.

# Esquema gramatical

| | | |
|---|---|---|
| (yo) | **ME** | lavo |
| (tú) | **TE** | lavas |
| (él), (ella), (Luis) | **SE** | lava |
| (nosotros) | **NOS** | lavamos |
| (vosotros) | **OS** | laváis |
| (ellos) | **SE** | lavan |

## Practique

**I.**

yo.          .—**Yo me levanto a las diez.**

1. tú.    .—..................................................
2. nosotros.    .—..................................................
3. Maria.    .—..................................................
4. usted.    .—..................................................
5. ellos.    .—..................................................
6. ustedes.    .—..................................................
7. ellas.    .—..................................................
8. Juan y Carlos.    .—..................................................
9. ella.    .—..................................................
10. Antonio.    .—..................................................
11. Isabel.    .—..................................................
12. vosotros.    .—..................................................

# Amplíe

Juan **se baña.**

Me **mojo** las manos.

**Te pintas** las uñas.

**Nos secamos** las manos.

Pepe **se pone** el sombrero.

Usted **se quita** la chaqueta.

Luis **se acuesta** a las diez.

Los niños **se ensucian** la ropa.

Carmen **se ríe** del payaso.

Me **miro** en el espejo.

# Practique

---

## I.

**¿Cuándo se levanta Juan?**  .—**Juan se levanta por la mañana.**

1. ¿Cuándo se afeitan ustedes?  .—.......................................
2. ¿Cuándo te peinas?  .—.......................................
3. ¿Cuándo se pone usted el sombrero?  .—.......................................
4. ¿Cuándo os vestís?  .—.......................................
5. ¿Cuándo nos duchamos?  .—.......................................
6. ¿Cuándo me levanto?  .—.......................................
7. ¿Cuándo os miráis en el espejo?  .—.......................................
8. ¿Cuándo nos bañamos?  .—.......................................

| ÉL, ELLA, UD.<br>ELLOS, ELLAS, UDS. | SE | peina<br>peinan |
|---|---|---|

## II.

**¿Se lava Juan a las 10?** *a las 9.*  .—**No, Juan se lava a las 9.**

1. ¿Se pinta Marta por la mañana? *por la tarde.*  .—.......................................
2. ¿Te afeitas a las 8? *a las 7,30.*  .—.......................................
3. ¿Te bañas los lunes? *los domingos.*  .—.......................................
4. ¿Os levantáis pronto? *tarde.*  .—.......................................
5. ¿Se ríen Uds. del payaso? *de ella.*  .—.......................................
6. ¿Se queda María en casa? *en el jardín.*  .—.......................................
7. ¿Se pone Ud. el traje? *el abrigo.*  .—.......................................
8. ¿Os sentáis en el sillón? *en la silla.*  .—.......................................

# Hable

¿Qué haces a las ocho?
—*A las ocho me levanto.*

¿Qué hace José a las nueve?

....................................................

¿Qué hace Marta?

....................................................

¿Qué hacen los niños?

....................................................

¿Qué hace usted?

....................................................

¿Qué hace Antonio?

....................................................

¿Qué hacen ustedes?

....................................................

¿Qué hace Pilar?

....................................................

¿Qué hacéis a las once?

....................................................

¿Qué hacen las secretarias?

....................................................

# *Practique*

## I.

**Me afeitaré en casa.**      .—**¿Dónde te afeitarás?**

1. Me peinaré en el cuarto de baño.    .—.............................................
2. Nos sentaremos en un banco.    —.............................................
3. Os quedaréis en casa.    —.............................................
4. Luisa se divertirá en el baile.    —.............................................
5. Te pararás en la calle.    —.............................................
6. Me bañaré en el río.    —.............................................
7. Se acostará en la cama.    —.............................................

## II.

.................. VA A VESTIRSE

*Pedro / vestirse.*      .—**Pedro va a vestirse.**

1. *Isabel / pintarse.*    —.............................................
2. *Ana / bañarse.*    —.............................................
3. *Él / ponerse la chaqueta.*    —.............................................
4. *Ud. / quitarse el abrigo.*    —.............................................
5. *Tú / reírse del payaso.*    —.............................................
6. *Yo / acostarse.*    —.............................................
7. *Nosotros / levantarse.*    —.............................................
8. *Uds. / ducharse.*    —.............................................
9. *Ellas / peinarse.*    —.............................................

## Recuerde

| ¿POR QUÉ ...............? | PORQUE .............. |
|---|---|

**I.**

**¿Por qué te acuestas?** *estar cansado.*            **.—Me acuesto porque estoy cansado.**

1. ¿Por qué lloras? *estar triste.* .—.....................................
2. ¿Por qué se ríe Juan? *estar contento.* .—.....................................
3. ¿Por qué limpiamos los zapatos? *estar sucios.* .—.....................................
4. ¿Por qué se pone Ud. el abrigo? *hacer frío.* .—.....................................
5. ¿Por qué cantas? *estar alegre.* .—.....................................
6. ¿Por qué te acuestas? *estar enfermo.* .—.....................................
7. ¿Por qué se bañan? *hacer calor.* .—.....................................
8. ¿Por qué te levantas? *ser las 11.* .—.....................................

| **TE** LAVAS | **¡LÁVATE!** |
|---|---|
| **OS** LAVÁIS | **¡LAVAOS!** |

**II.**

**Quiero quedarme.**            **.—Quédate.**

1. Quiero acostarme.        .—.....................................
2. Queremos lavarnos.        .—.....................................
3. Quiero ducharme.        .—.....................................
4. Queremos peinarnos.        .—.....................................
5. Quiero reírme.        .—.....................................
6. Queremos levantarnos.        .—.....................................
7. Queremos sentarnos.        .—.....................................
8. Quiero vestirme.        .—.....................................

# Situación XXI

**Práctica oral:** *Describa la siguiente situación.*

Paco: —¡Para el coche! Ya hemos llegado.

Fidel: —¿Es éste tu pueblo?

Paco: —Sí. Aquí vivía yo cuando era pequeño. Mira. Aquella era nuestra casa.

Fidel: —Es muy tranquilo.

Paco: —Sí. Pero está muy cambiado. Ésta es la plaza del pueblo. Aquí jugaba yo con mis amigos.

Fidel: —¿No ibas a la escuela?

Paco: —Sí. La escuela estaba en aquella esquina. Ahora en su lugar hay un supermercado. Teníamos un maestro muy simpático.

Fidel: —¿Y qué hacías los domingos?

Paco: —Me divertía mucho. Entonces no había cine ni televisión. Bajaba al río con mis amigos. Allí pasábamos la tarde. Nadábamos, pescábamos y luego merendábamos todos juntos.

Fidel: —Lo pasabas muy bien aquí, ¿verdad?

Paco: —Sí. Por eso vengo a visitarlo todos los años.

# Esquema gramatical I

| | | -AR | | -ER | -IR | |
|---|---|---|---|---|---|---|
| PRETÉRITO IMPERFECTO | | nad-**ABA** | -**ABA** | ten-**ÍA** | sub-**ÍA** | -**ÍA** |
| | | nad-**ABAS** | -**ABAS** | ten-**ÍAS** | sub-**ÍAS** | -**ÍAS** |
| | | nad-**ABA** | -**ABA** | ten-**ÍA** | sub-**ÍA** | -**ÍA** |
| | | nad-**ÁBAMOS** | -**ÁBAMOS** | ten-**ÍAMOS** | sub-**ÍAMOS** | -**ÍAMOS** |
| | | nad-**ABAIS** | -**ABAIS** | ten-**ÍAIS** | sub-**ÍAIS** | -**ÍAIS** |
| | | nad-**ABAN** | -**ABAN** | ten-**ÍAN** | sub-**ÍAN** | -**ÍAN** |

## *Practique*

**I.**

*Tú / en diciembre.*                                            .—**Tú nadabas en diciembre.**

1. *Ella / en primavera.*                              .—...................................................
2. *Vosotros / en verano.*                           .—...................................................
3. *Ellos / en mayo.*                                    .—...................................................
4. *Yo / los sábados.*                                   .—...................................................
5. *Él / a menudo.*                                        .—...................................................
6. *Ellas / todos los días.*                           .—...................................................
7. *Luis y María / los domingos.*                .—...................................................
8. *Lucas / en invierno.*                              .—...................................................

**II.**

**Ahora vivo en un pueblo.**                        .—**¿Dónde vivías antes?**

1. Ahora nadamos en el río.                        .—...................................................
2. Ahora viven en Madrid.                            .—...................................................
3. Ahora coméis en el restaurante.             .—...................................................
4. Ahora estudio en la Universidad.            .—...................................................
5. Ahora pasa las vacaciones en Sevilla.     .—...................................................
6. Ahora tomo el café en el bar.                  .—...................................................
7. Ahora pescan en el río.                           .—...................................................
8. Ahora estamos aquí.                               .—...................................................

9 am 11/10/97 *Months, Seasons*

# Amplíe

Aquel maestro **enseñaba** latín.

De niños **contestabais** las cartas.

Antes **iba** al campo a menudo.

Siempre **olvidabais** los libros en casa.

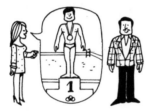

Todos los años **ganaba** una medalla.

Antes **era** profesor.

Antes **celebrabas** tu cumpleaños con los amigos.

El año pasado **trabajaba** en un Banco.

Por la noche **veía** la televisión.

De jóvenes nos **divertíamos** mucho.

## Practique

---

**I.**

**Antonio enseña latín.**         .—**Antonio enseñaba latín.**

1. Los niños juegan en el patio.   .—............................................
2. Esperamos el autobús.   .—............................................
3. Los domingos jugamos al fútbol.   .—............................................
4. Este hombre vive en el campo.   .—............................................
5. Siempre duermo mucho.   .—............................................
6. Pierdes las llaves a menudo.   .—............................................
7. Luis y Bárbara cenan en casa.   .—............................................
8. Merendamos en el campo.   .—............................................

VER ⟶ V-E-O ⟶ V-E-ÍA

---

**II.**

**Antonio vive en la ciudad.** *en el pueblo.*  .—**Antes vivía en el pueblo.**

1. Juan tiene dos coches. *una moto.*  .—............................................
2. Ellas nadan en la piscina. *en el río.*  .—............................................
3. Venimos siempre en autobús. *a pie.*  .—............................................
4. Veo la televisión a mediodía. *por la noche.*  .—............................................
5. Todos los días me levanto a las 7. *a las 10.*  .—............................................
6. Escribo a mis padres cada día. *cada semana.*  .—............................................
7. Luis y Pedro estudian en la Universidad. *en la escuela.*  .—............................................
8. Tenemos un maestro muy malo. *muy bueno.*  .—............................................
9. En aquella esquina hay un cine. *un supermercado.*  .—............................................

# Hable

Ahora trabajo en una oficina.

*Antes trabajaba en un Banco.*

Ahora vivo en la ciudad.

..................................................

Ahora estudiamos español.

..................................................

Ahora no me divierto.

..................................................

Ahora no hago deporte.

..................................................

Ahora bebo cerveza.

..................................................

Ahora veo la televisión.

..................................................

Ahora escribo pocas cartas.

..................................................

Ahora leo el periódico.

..................................................

Ahora me levanto a las ocho.

..................................................

# Esquema gramatical II

| SER | |
|---|---|
| ERA | ÉRAMOS |
| ERAS | ERAIS |
| ERA | ERAN |

| IR | |
|---|---|
| IBA | ÍBAMOS |
| IBAS | IBAIS |
| IBA | IBAN |

## Practique

**I.**

Tú.                              **.—Tú eras profesor. Ibas a la Universidad.**

1. Él.                           .—......................................................
2. .Nosotros.                    .—......................................................
3. Ellos.                        .—......................................................
4. Vosotros.                     .—......................................................
5. Ellas.                        .—......................................................
6. Vosotras.                     .—......................................................
7. Pedro..                       .—......................................................
8. Juan y María.                 .—......................................................

| AHORA ⟶ | **HAY** |
|---|---|
| ANTES ⟶ | **HABÍA** |

**II.**

cine / teatro.                   **.—Al lado del cine había un teatro.**

1. bar / farmacia.               .—......................................................
2. zapatería / fábrica.          .—......................................................
3. discoteca / iglesia.          .—......................................................
4. parque / piscina.             .—......................................................
5. escuela / jardín.             .—......................................................
6. árbol / puente.               .—......................................................
7. casa / carretera.             .—......................................................
8. silla / lámpara.              .—......................................................

**Práctica oral:** *Recuerde su infancia.*

## [l̆]    *PALATAL LATERAL SONORA*

El dorso de la lengua está en contacto con el paladar.

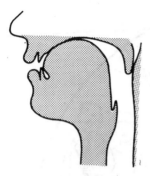

Articulación de [l̆].

llamar
llevar
llegar
llover
paella
aquello
calle
llave

*Ejercicios prácticos:*

1. Llovía mucho en la calle.
2. Aquella paella era buena.
3. Ganaba todos los años una medalla.
4. Llamaba desde la calle.
5. Los niños llevaban los libros sucios.
6. Aquella botella está llena.
7. La llave estaba en la calle.
8. Usamos una talla mayor.

| | |
|---|---|
| *Mujer:* | —¿Aún estás en la cama? Hace media hora que ha sonado el despertador. |
| *Marido:* | —Hace frío, ¿verdad? |
| *Mujer:* | —Sí, un poco. Date prisa. Vas a perder el autobús. |
| *Marido:* | —No. Hoy no me levanto. Tengo pereza. |

| | |
|---|---|
| *Mujer:* | —¿No quieres ir a trabajar? |
| *Marido:* | —No. Hoy no voy a trabajar. |
| *Mujer:* | —Pero, ¿por qué? |
| *Marido:* | —Porque me encuentro muy a gusto en la cama y voy a quedarme aquí todo el día. |
| *Mujer:* | —Pero tienes que ir. Necesitamos el dinero. |
| *Marido:* | —Yo no lo necesito. |

| | |
|---|---|
| *Mujer:* | —El jefe se enfadará. |
| *Marido:* | —No me importa. |
| *Mujer:* | —¿Y qué será de mí y de tu hijo? |
| *Marido:* | —No lo sé. No me preocupa. Hoy no me levanto. |
| *Mujer:* | —No te entiendo. Hace diez años que trabajas en la misma empresa y nunca te has quejado. ¿Por qué te niegas a ir hoy? |
| *Marido:* | —Porque he hecho el mismo trabajo todos los días desde hace diez años y ya estoy harto, ¿comprendes? |
| *Mujer:* | —No. No puedes hacer eso.<br>—Oiga, ¿es el hospital psiquiátrico? Envíen a un doctor en seguida, por favor. Mi marido no se encuentra bien. |

# Esquema gramatical

| | | |
|---|---|---|
| 1 9 6 4 - 1 9 7 4 | ⟶ | **HACE** DIEZ AÑOS **QUE** VIVO AQUÍ |
| 1964 - 1965 ... 1974 | ⟶ | VIVO AQUÍ **DESDE** 1964 |
| 1 9 6 4 - 1 9 7 4 | ⟶ | VIVO AQUÍ **DESDE HACE** DIEZ AÑOS |
| 1 9 6 4 - 1 9 7 4 | ⟶ | HE VIVIDO AQUÍ **DURANTE** DIEZ AÑOS |

**HACE** MEDIA HORA QUE HA SALIDO EL TREN

**AÚN**  
**TODAVÍA** } NO HA SALIDO EL TREN  
NO SABEMOS LA LECCIÓN

## Practique

¿**Ha salido el tren?** *si*     .—**Sí, ya ha salido.**  
¿**Ha llegado José?** *no*     .—**No, aún no ha llegado.**

1.  ¿Has visto a Carmen? *no*     .—...............................................
2.  ¿Sabéis la lección? *si*     .—...............................................
3.  ¿Tienes hambre? *no*     .—...............................................
4.  ¿Has hecho los deberes? *si*     .—...............................................
5.  ¿Conoces a Isabel? *si*     .—...............................................
6.  ¿Has comprado el periódico?, *no*     .—. .............................................
7.  ¿Ha vuelto Antonio? *si*     .—...............................................
8.  ¿Habéis recibido su carta? *no*     .—. .............................................

# Amplie

**Hace** diez días **que está** resfriado.

**Hace** una hora **que se ha casado.**

José estudia en la Universidad **desde** el año 1969.

No he visto a mis padres **desde hace** un año.

No he hablado con María **desde la semana pasada.**

Te he esperado **durante toda la noche.**

Luis no ha ido a clase **desde** el martes.

No hemos visto al profesor **desde hace** una semana.

Estoy ahorrando dinero **desde hace** diez años.

**Hace** dos horas que espero.

## Practique

**¿Desde cuándo vives aquí?**   *diez años.*   **.—Vivo aquí desde hace 10 años.**

1.   ¿Desde cuándo no has leído una novela?   *el mes pasado.*   .—...............
2.   ¿Desde cuándo no has visto a tu amigo?   *dos semanas.*   .—...........
3.   ¿Desde cuándo escribes en el periódico?   *el año 1973.*   .—................
4.   ¿Desde cuándo no has ido al médico?   *tres meses.*   .—......................
5.   ¿Desde cuándo hablas inglés?   *dos años.*   .—................................
6.   ¿Desde cuándo tienes coche?   *el verano pasado.*   .—............................
7.   ¿Desde cuándo no le has escrito a Juan?   *dos años.*   .—..................
8.   ¿Desde cuándo no habéis pintado la casa?   *diez años.*   .—.................

HACE UN AÑO QUE ..................

II.

**¿Cuánto tiempo hace que estás en España?**   *un mes.*   **.—Hace un mes que estoy en España.**

1.   ¿Cuánto tiempo hace que no vas al cine?   *una semana.*   .—...............
2.   ¿Cuánto tiempo hace que vives en esta casa?   *tres meses.*   .—............
3.   ¿Cuánto tiempo hace que no ves a tu hermano?   *tres días.*   .—..............
4.   ¿Cuánto tiempo hace que no vas a la playa?   *dos semanas.*   .—.........
5.   ¿Cuánto tiempo hace que estás esperando?   *dos horas.*   .—..................
6.   ¿Cuánto tiempo hace que fumas?   *diez años.*   .—................................
7.   ¿Cuánto tiempo hace que no juegas al fútbol?   *un año.*   .—..................
8.   ¿Cuánto tiempo hace que no compras un libro?   *cuatro días.*   .—............

# Hable

Ya ha salido el tren.

*¿Cuánto tiempo hace que ha salido el tren?*

Ya ha regresado Antonio.

...............................................................

Han reparado el coche.

...............................................................

Han terminado el puente.

...............................................................

Hemos hecho el examen.

...............................................................

María se ha casado.

...............................................................

Miguel se ha enfadado.

...............................................................

Carmen se ha levantado.

...............................................................

Antonio se ha marchado al extranjero.

...............................................................

Ya ha parado de llover.

...............................................................

# Recuerde

| | |
|---|---|
| ¿POR QUÉ NO **VAS** A TRABAJAR? | PORQUE NO ME **ENCUENTRO** BIEN |
| ¿POR QUÉ **HAS BEBIDO** TANTA CERVEZA? | PORQUE **TENÍA** MUCHA SED |

## I.

**¿Por qué no estudias la lección?** *estar cansado.* **.—Porque estoy cansado.**

1. ¿Por qué no vienes a verme? *estar ocupado.* .—...............................
2. ¿Por qué esperas a José? *tener tiempo.* .—...............................
3. ¿Por qué no has ido a clase? *estar enfermo.* .—...............................
4. ¿Por qué no habéis traído el abrigo? *tener calor.* .—...............................
5. ¿Por qué duermes tanto? *tener sueño:* .—...............................
6. ¿Por qué has comido tanto? *tener hambre.* .—...............................
7. ¿Por qué no has visto a Carmen? *estar en casa.* .—...............................
8. ¿Por qué te lavas? *estar sucio.* .—...............................

## II.

*triste / tú.* **.—¿Por qué estás triste?**

1. *aburrido / él.* .—...............................
2. *cansados / nosotros.* .—...............................
3. *enfadadas / ellas.* .—...............................
4. *contentos / vosotros.* .—...............................
5. *mojado / Luis.* .—...............................
6. *enfermo / yo.* .—...............................
7. *alegre / ella.* .—...............................
8. *resfriados / Juan y Antonio.* .—...............................

**Práctica oral:** *Imagine un diálogo.*

1.

2.

3.

4.

# Entonación

No iré, porque estoy en cama

*Ejercicios prácticos:*

1.  No marcho, porque me encuentro muy bien.
2.  No voy al cine, porque hoy no es fiesta.
3.  No me levanto, porque tengo pereza.
4.  No salgo, porque tengo frío.
5.  No volveré, porque he perdido el tren.
6.  No compro el coche, porque es muy caro.
7.  No estudio, porque estoy cansado.
8.  No iré, porque hace mucho frío.

| | |
|---|---|
| Médico: | —¡A ver! ¿Cómo se encuentra? |
| Enfermo: | —No muy bien. Me duele un poco la espalda. Tengo fiebre y me molesta la luz. |
| Médico: | —No parece grave. Está usted fatigado y necesita descansar. ¿Cuántas horas trabaja al día? |
| Enfermo: | —Diez o doce, depende. |
| Médico: | —Debe quedarse en casa una semana y olvidarse de sus preocupaciones. |
| Enfermo: | —Eso es imposible. Tengo que volver al trabajo. Si me quedo en casa una semana, me arruinaré. Mis empleados no saben hacer nada sin mí. |
| Médico: | —Allá usted. Yo sólo puedo aconsejarle. Sufre una crisis nerviosa. Si no se cuida, sufrirá las consecuencias. |
| Enfermo: | —A ustedes los médicos les gusta asustar a la gente. Yo sé que esto no es grave. Debo volver al trabajo hoy mismo. No quiero perder dinero. Además, mis clientes me necesitan. |
| Médico: | —¿Está usted seguro? ¿A qué se dedica? |
| Enfermo: | —A la venta de electrodomésticos. |
| Médico: | —Veo que tiene usted una casa lujosa y su nombre es famoso en la ciudad. ¿Para qué quiere tanto dinero? |
| Enfermo: | —Nunca me he contentado con poco… |

# Esquema gramatical

| TENER QUE / DEBER + infinitivo |
|---|
| tengo<br>tienes<br>tiene<br>tenemos<br>tenéis<br>tienen     **QUE IR** A CASA |
| debo<br>debes<br>debe<br>debemos<br>debéis<br>deben     **IR** A CASA |

## Practique

**Tengo que trabajar.**     .—**Debo trabajar.**

1. Tengo que salir.     .—.........................................
2. Tenemos que estudiar.     .—.........................................
3. José tiene que ir al médico.     .—.........................................
4. Luisa tiene que comprar leche.     .—.........................................
5. Ud. tiene que comprar otro libro.     .—.........................................
6. Tenemos que volver a casa.     .—.........................................
7. Tengo que hablar con usted.     .—.........................................
8. Tenéis que coger aquel tren.     .—...........................................

# Amplíe

A María le duele la cabeza.
**Debe** tomar una aspirina.

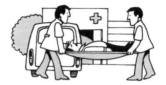

José ha tenido un accidente.
**Tiene que** ir al hospital.

Miguel tiene fiebre.
**No debe** levantarse.

A Carmen le duele una muela.
**Tiene que** ir al dentista.

El semáforo está rojo.
**No deben** cruzar la calle.

María ha perdido su pasaporte.
**Tiene que** hacer otro.

Está lloviendo mucho.
**No debéis** salir de casa.

La nevera se ha estropeado.
**Tenemos que** repararla.

El guardia te está mirando.
**No debes** pisar el césped.

Hace mucho calor.
**Tenemos que** regar las plantas.

## *Practique*

---

**I.**

**Tengo que hacer las maletas.** .—¿Quién debe hacer las maletas?

1. Isabel tiene que ir al dentista. .—..........................................
2. Miguel tiene que hacer un examen. .—..........................................
3. Luis tiene que quedarse en cama. .—..........................................
4. Usted tiene que ir al médico. .—..........................................
5. Carmen tiene que ir a la peluquería. .—..........................................
6. Tengo que tomar una aspirina. .—..........................................
7. Carlos tiene que llegar a casa a las diez. .—..........................................
8. Tienes que darte prisa. .—..........................................

¿PUEDO .........? NO DEBES .........

**II.**

**¿Puedo cruzar la calle?** .—**No, no debes cruzar la calle.**

1. ¿Podemos ir al cine esta tarde? .—..........................................
2. ¿Puedo levantarme? .—..........................................
3. ¿Puedo fumar en el autobús? .—..........................................
4. ¿Puedes pisar el césped? .—..........................................
5. ¿Podéis dormir en la oficina? .—..........................................
6. ¿Puedes hablar en la biblioteca? .—..........................................
7. ¿Puedes gastar todo tu dinero? .—..........................................
8. ¿Puedo tomar otra aspirina? .—..........................................

# Hable

A María le duele la cabeza.
*Debe tomar una aspirina.*

José está muy enfermo.
.................................................

Mi coche se ha estropeado.
.................................................

La mesa está sucia.
.................................................

Tienes mucha fiebre.
.................................................

Queremos hacer un viaje.
.................................................

El concierto comienza a las siete.
.................................................

Juan va a hacer un examen la próxima semana.
.................................................

Son las once de la noche.
.................................................

No puedo llegar tarde.
.................................................

# *Recuerde*

SI NO **CORRES, PERDERÁS** EL TREN

SI **VIENES** A LA FIESTA, **CONOCERÁS** A CARMEN

# *Practique*

## I.

**Corre o perderás el tren.** .—**Si no corres, perderás el tren.**

1. Levántate o llegarás tarde. .—.....................................
2. Vete al médico o sufrirás las consecuencias .—.....................................
3. Estudiad o no aprenderéis la lección. .—.....................................
4. Trabaja o no tendrás dinero. .—.....................................
5. Descansa o te pondrás enfermo. .—.....................................
6. Quédate en cama o te pondrás peor. .—.....................................
7. Cierra la ventana o cogerás un resfriado. .—.....................................
8. Date prisa o llegaremos tarde. .—.....................................

## II.

**Ven conmigo y te enseñaré la ciudad.** .—**Si vienes conmigo, te enseñaré la ciudad.**

1. Estudiad la lección y os compraré un helado. .—.....................................
2. No te levantes y te pondrás mejor. .—.....................................
3. Ven a mi casa y te dejaré mis discos. .—.....................................
4. Ven a las cuatro y verás a Isabel. .—.....................................
5. Levantaos temprano y cogeréis el tren. .—.....................................
6. Coge un taxi y llegarás pronto. .—.....................................
7. Daos prisa y cogeréis el tren. .—.....................................
8. No te acuestes tarde y podrás levantarte temprano. .—.....................................

# Situación XXIV

**Práctica oral:** *Imagine un diálogo.*

1.

2.

3.

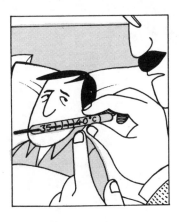

4.

*Una estampa campesina.*

# 25 | *No hay nadie en casa*

Susana: —Pasa. Parece que no hay nadie. Mi compañera debe haber salido. Vamos a la cocina. Te prepararé algo de beber. ¿Qué prefieres?

Tomás: —Algo fresco. Un zumo de naranja o cerveza.

Susana: —La nevera está vacía. No queda ninguna cerveza. Tampoco hay agua… Vamos a mirar en el mueble-bar. Hay algunas botellas, pero están vacías. Lo siento mucho. Se ha acabado todo en dos días y la casa está sucia y desordenada. No entiendo nada. Vamos a ver si hay algo de comer. Después del viaje tengo hambre, ¿y tú?

Tomás: —No sé… Si encuentras algo…

Susana: —No hay nada en ningún sitio. Tendremos que ir a un restaurante.

Tomás: —¡Escucha! Alguien está abriendo la puerta.

Susana: —¿Isabel…?

Isabel: —Sí, soy yo. ¿Ya has vuelto? ¿Cómo has pasado el fin de semana?

Susana: —Muy bien. Y aquí, ¿qué ha pasado? ¿Has invitado a toda la ciudad?

Isabel: —Sólo a algunos amigos. Pero no te preocupes. He ido de compras y en esta bolsa traigo de todo.

# Esquema gramatical

| | |
|---|---|
| **NO** hay **NADIE** ⎫ en casa<br>Hay **ALGUIEN** ⎭ | **NO** hay **NADA** ⎫ sobre la mesa<br>Hay **ALGO** ⎭ |

| | |
|---|---|
| ¿Hay **ALGÚN** libro sobre la mesa? ⎫<br>⎭ | **NO** hay **NINGUNO**<br>Hay **ALGUNOS** |
| ¿Hay **ALGUNA** botella sobre la mesa? ⎫<br>⎭ | **NO** hay **NINGUNA**<br>Hay **ALGUNAS** |

**NO** hay **NINGÚN** libro sobre la mesa
**NO** hay **NINGUNA** botella sobre la mesa

## *Practique*

**I.**

| *casa.* | .—**¿Hay alguien en casa?** |
|---|---|
| 1. *oficina.* | .—............................................ |
| 2. *calle.* | ;—............................................ |
| 3. *aqui.* | .—............................................ |
| 4. *cine.* | .—............................................ |
| 5. *cocina* | .—............................................ |
| 6. *terraza.* | .—............................................ |
| 7. *biblioteca.* | .—............................................ |
| 8. *clase.* | .—............................................ |

**II.**

| *casa.* | .—**No hay nadie en casa.** |
|---|---|
| 1. *bar.* | .—............................................ |
| 2. *cùarto de baño.* | .—............................................ |
| 3. *cocina.* | .—............................................ |
| 4. *calle.* | .—............................................ |
| 5. *museo.* | .—............................................ |
| 6. *banco.* | .—............................................ |
| 7. *tienda.* | .—............................................ |
| 8. *oficina.* | .—............................................ |

# Amplíe

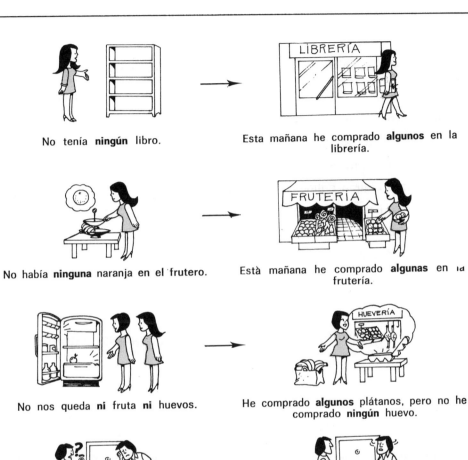

No tenía **ningún** libro.

Esta mañana he comprado **algunos** en la librería.

No había **ninguna** naranja en el frutero.

Està mañana he comprado **algunas** en la frutería.

No nos queda **ni** fruta **ni** huevos.

He comprado **algunos** plátanos, pero no he comprado **ningún** huevo.

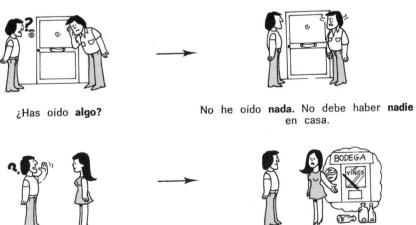

¿Has oído **algo**?

No he oído **nada**. No debe haber **nadie** en casa.

¿Tienes **algo** para beber?

No queda **nada**. Tenemos que comprar **algo** en la bodega.

## Practique

**I.**

**¿Tienes algún amigo español?**     **.—No tengo ninguno.**

1. ¿Hay algún libro sobre la mesa?    .—.....................................
2. ¿Has visto a algún estudiante?    .—.....................................
3. ¿Has comprado alguna revista?    .—.....................................
4. ¿Hay alguna fruta en la nevera?    .—.....................................
5. ¿Has visto alguna película española?    .—.....................................
6. ¿Has encontrado algún periódico?    .—.....................................
7. ¿Ha llegado algún invitado?    .—.....................................
8. ¿Ha habido algún accidente esta semana?    .—.....................................

| NO HAY **NINGUNO.** | HE COMPRADO **ALGUNOS.** |
|---|---|

**II.**

**¿Que has comprado esta mañana?** *libros.*   **.—He comprado algunos libros.**

1. ¿Qué ha leído Luis? *periódicos.*    .—.....................................
2. ¿Qué te han regalado tus amigos? *flores.*    .—.....................................
3. ¿Qué necesitan los niños? *lápices.*    .—.....................................
4. ¿Qué tiene María? *manzanas.*    .—.....................................
5. ¿Qué compraste esta tarde? *huevos.*    .—.....................................
6. ¿Qué han comido de postre? *naranjas.*    .—.....................................
7. ¿Qué leísteis el domingo? *revistas.*    .—.....................................
8. ¿Qué rompieron Carlitos y María? *vasos.*    .—.....................................

# Hable

—¿Hay algún libro sobre la mesa?
—*Sí, hay algunos.*

—¿No tienes ninguna moneda?
—.....................................................

—¿No has recibido ninguna carta?
—.....................................................

—¿No has comprado ningún regalo?
—.....................................................

—¿No hay ningún estudiante en clase?
—.....................................................

—¿Tienes alguna corbata?
—.....................................................

—¿Has traído algún cigarrillo?
—.....................................................

—¿Queda algún huevo en la nevera?
—.....................................................

—¿Hay alguna aspirina?
—.....................................................

—¿Hay alguna botella de vino?
—.....................................................

# *Practique*

**I.**

**¿Necesitas algo?**            .—**No necesito nada.**

1. ¿Hay algo interesante en aquel museo?     .—.....................................
2. ¿Habéis oído algo extraño en el jardín?     .—.....................................
3. ¿Beberéis algo después de la clase?     .—.....................................
4. ¿Habéis comprado algo para mañana?     .—.....................................
5. ¿Ha ocurrido algo nuevo?     .—.....................................
6. ¿Le has regalado algo a María?     .—.....................................
7. ¿Has traído algo de París?     .—.....................................
8. ¿Quieres decir algo?     .—.....................................

**NO** OIGO **NADA**          **NO** HA VENIDO **NADIE**

**II.**

**¿Quién ha llamado?**            .—**No ha llamado nadie.**

1. ¿A quién has visto?     .—.....................................
2. ¿Quién ha venido?     .—.....................................
3. ¿Quién ha llegado?     .—.....................................
4. ¿Quién se ha enfadado?     .—.....................................
5. ¿A quién has telefoneado?     .—.....................................
6. ¿Quién ha estudiado?     .—.....................................
7. ¿Quién ha salido?     .—.....................................
8. ¿A quién has llamado?     .—.....................................

# Recuerde

| DEBE ESTAR ENFERMO | DEBE HABER SALIDO |

## I.

**¿Qué hora es?** *las diez.*          .—**Deben ser las diez.**

1. ¿Dónde está María? *en casa.* .—..........................................
2. ¿Por qué no ha venido José? *enfermo.* .—....................................
3. ¿Dónde está Carmen? *en la cocina.* .—......................................
4. ¿Cuántos años tiene Marta? *veinte.* .—......................................
5. ¿Dónde está el teatro? *a la derecha.* .—....................................
6. ¿Por qué ha entrado José al bar? *tener sed.* .—...............................
7. ¿Quién está con ellos? *solos.* .—..........................................
8. ¿Es barato ese coche? *muy caro.* .—........................................

## II.

**¿Ha salido el tren?**          .—**Ya debe haber salido.**

1. ¿Ha llegado el cartero? .—....................................
2. ¿Ha ido Juan al médico? .—....................................
3. ¿Ha visitado José el museo? .—....................................
4. ¿Se ha casado María? .—....................................
5. ¿Ha empezado la película? .—....................................
6. ¿Ha parado de llover? .—....................................
7. ¿Ha telefoneado el ingeniero? .—....................................
8. ¿Han acabado el puente? .—....................................

# Situación XXV

**Práctica oral:** *Imagine un diálogo.*

1.

2.

3.

4.

*Isabel.*—¡Hombre, Carlos! ¿Dónde te metiste ayer? Te llamé para invitarte a una fiesta, pero no estabas en casa.

*Carlos.*—Descubrí un aspecto nuevo de Barcelona, las famosas Ramblas.

*Isabel.*—¿Te gustaron? Yo todavía no las conozco.

*Carlos.*—Sí. Son algo especial... Una combinación de color y tipismo. Tienen historia, tradición y encanto.

*Isabel.*—¿Sí? Creo que exageras un poco.

*Carlos.*—Te aseguro que no. Primero paseé un rato. Luego me senté en la terraza de un bar y observé a la gente.

*Isabel.*—Bueno, ¿viste algo especial?

*Carlos.*—Vi gente de todas clases: ancianos, jóvenes, artistas, marineros, estudiantes...

*Isabel.*—Hay muchos puestos de flores, ¿no?

*Carlos.*—Sí. Hay muchas clases de flores y plantas y también hay puestos de libros. Compré un libro de poemas y una novela.

*Isabel.*—¿Y no compraste una rosa para mí?

*Carlos.*—No, pero te compraré una si me acompañas esta tarde.

*Isabel.*—De acuerdo. Yo también quiero conocer las Ramblas. Pero no olvides tu promesa.

# Esquema gramatical

| -AR | | | -ER, -IR | | |
|---|---|---|---|---|---|
| **INDEFINIDO** | *estudi-ar* | | | *beber, escribir* | |
| | estudi-é | **-É** | | escrib-í | **-Í** |
| | estudi-aste | **-ASTE** | | escrib-iste | **-ISTE** |
| | estudi-ó | **-Ó** | | escrib-ió | **-IÓ** |
| | estudi-amos | **-AMOS** | | escrib-imos | **-IMOS** |
| | estudi-asteis | **-ASTEIS** | | escrib-isteis | **-ISTEIS** |
| | estudi-aron | **-ARON** | | escrib-ieron | **-IERON** |

*P E R O :*

DAR $\begin{cases} \textbf{DI, DISTE, DIO} \\ \textbf{DIMOS, DISTEIS, DIERON} \end{cases}$

## *Pràctique*

I.

**Todos los días estudio la lección.**　　　.—**Ayer estudié la lección.**

1. Todos los días compras el periódico.　　.—.....................................
2. Todos los días nos levantamos a las 8.　.—.....................................
3. Todos los días escucho la radio.　　　　.—.....................................
4. Todos los días te afeitas a las nueve.　　.—.....................................
5. Todos los días nadan en la piscina.　　　.—.....................................
6. Todos los días escribes una carta.　　　.—.....................................
7. Todos los días leo una revista.　　　　　.—.....................................
8. Todos los días recibís a los clientes.　　.—.....................................
9. Todos los días bebemos una cerveza.　　.—.....................................
10. Todos los días ves una película.　　　　.—.....................................

# Practique

## I.

**¿Qué descubrió Colón?** *América*

1. ¿Cuántos libros leísteis?  *ocho.*
2. ¿A qué hora comieron los niños?
3. ¿A quién escribiste ayer?  *a mis*
4. ¿Qué visteis en el museo?  *los cu*
5. ¿Quién se olvidó de cerrar la puert*
6. ¿Con quién saliste anoche?  *con*
7. ¿Quién perdió el autobús?  *yo.*
8. ¿Quién te dio esa revista?  *Mart*

| ¿QUIÉN? | ¿A QUIÉN? | ¿F |
|---------|-----------|----|
|         |           |    |

¿Cuándo volvieron a casa?

¿Quién cruzó la calle?

¿Con quién saliste anoche?

## II.

**Esta mañana vi a Carmen.**

1. Esta mañana hablé con José.
2. Compré estas flores para Isabel.
3. Ayer salí con mis amigos.
4. Carmen perdió el tren.
5. Ayer visitamos a Pedro.
6. Luis se cayó del árbol.
7. Esta mañana vi a Carlos.
8. Pinté un cuadro para ti.

¿Quién te llamó ayer?

¿A qué hora cogiste el tren?

## Recuerde

**I.**

**¿Es verdad que viste a Carmen?**          .—Te aseguro que vi a Carmen.

1. ¿Es verdad que hablaste con Pablo?          .—...........................................
2. ¿Es verdad que los vecinos vendieron el coche?          .—...........................................
3. ¿Es verdad que visitasteis el museo?          .—...........................................
4. ¿Es verdad que bebiste mucho?          .—...........................................
5. ¿Es verdad que Juan salió anoche?          .—...........................................
6. ¿Es verdad que llegaste a las nueve?          .—...........................................
7. ¿Es verdad que perdiste el autobús?          .—...........................................
8. ¿Es verdad que te olvidaste de llamar?          .—...........................................

**TE LLAMÉ PARA** INVITARTE A UNA FIESTA.

**II.**

**¿Por qué me llamaste?**  *invitarte a una fiesta.*     .—Te llamé para invitarte a una fiesta.

1. ¿Por qué compraste una revista?  *mirar las fotografías.*  .—...........................
2. ¿Por qué te levantaste temprano?  *coger el tren.*  .—...........................
3. ¿Por qué saliste anoche?  *ir al cine.*  .—...........................
4. ¿Por qué llamaste a Marta?  *hablar con ella.*  .—...........................
5. ¿Por qué cogiste la llave?  *abrir la puerta.*  .—...........................
6. ¿Por qué compraste el periódico?  *leer las noticias.*  .—...........................
7. ¿Por qué estudiaste anoche?  *aprobar el examen.*  .—...........................
8. ¿Por qué cerraste la puerta?  *estar tranquilo.*  .—...........................

**Práctica oral:** *Imagine un diálogo.*

1.

2.

3.

4.

# Fonética

$$C + \left\{ \begin{array}{c} a \\ o \\ u \end{array} \right\} = [k]$$

$$C + \left\{ \begin{array}{c} e \\ \\ i \end{array} \right\} = [\theta]$$

*Ejercicios prácticos:*

| | |
|---|---|
| **c**amisa | **c**errar |
| **c**oche | **c**igarrillo |
| **c**omer | **c**entro |
| **c**ama | **c**ien |
| **c**olor | **c**esto |
| **c**uento | **c**ésped |
| **c**urso | **c**ielo |
| **c**anción | **c**inco |

*Pilar.*—¿Por qué no vinisteis a cenar ayer? Os esperamos hasta las once.

*Carmen.*—No pudimos llegar Pasamos casi toda la noche en la carretera.

*Pilar.*—¿Hicisteis un viaje?

*Carmen.*—No. Estuvimos toda la tarde en la playa y al regresar a casa por la noche nos quedamos sin gasolina a veinte kilómetros de la ciudad. Miguel es muy despistado y se olvidó de llenar el depósito.

*Miguel.*—Siempre tengo yo la culpa. Tú tampoco te fijaste.

*Pilar.*—¿No encontrasteis una gasolinera?

*Carmen.*—Tuvimos mala suerte. Se paró el coche a diez kilómetros de la más próxima. Estuvimos parados durante dos horas y no pasó nadie.

*Pilar.*—¿Qué hicisteis entonces?

*Carmen.*—Yo puse la radio y me quedé en el coche. Él se fue andando hasta la gasolinera.

*Pilar.*—¡Pobre hombre! ¿Tuviste que volver andando?

*Miguel.*—No. Uno de los empleados me acompañó en su coche.

*Carmen.*—Llegamos a casa cansados y era muy tarde. Por eso no os telefoneamos.

*Pilar.*—¡Qué pena! Nosotros tuvimos que cenar solos. Venid el sábado que viene si no os pasa nada.

# Esquema gramatical

<table>
<tr><td rowspan="2">INDEFINIDOS IRREGULARES</td><td>estar<br>andar<br>tener<br>poder<br>poner<br>saber<br>hacer<br>querer<br>venir</td><td>estuv-<br>anduv-<br>tuv-<br>pud-<br>pus-<br>sup-<br>hic-<br>quis-<br>vin-</td><td>**-E**<br>**-ISTE**<br>**-O**<br>**-IMOS**<br>**-ISTEIS**<br>**-IERON**</td></tr>
<tr><td>traer<br>decir<br>conducir<br>producir</td><td>traj-<br>dij-<br>conduj-<br>produj-</td><td>**-E**<br>**-ISTE**<br>**-O**<br>**-IMOS**<br>**-ISTEIS**<br>**-ERON**</td></tr>
</table>

La «e» de la primera persona y la «o» de la tercera del singular no se acentúan.

SER ) **fui, fuiste, fue**
IR  ) **fuimos, fuisteis, fueron**

*HABER:*                hay ⟶ HUBO

# Practique

## AYER **ESTUVE** EN EL MUSEO

**¿Dónde estuviste ayer?** *en casa.*  .—**Estuve en casa.**

1. ¿Dónde estuvo María?  *en el parque.*  .—.....................................
2. ¿Dónde estuvisteis vosotras?  *en el museo.*  .—.....................................
3. ¿Dónde estuvieron los niños?  *en la escuela.*  .—.....................................
4. ¿Dónde estuve yo?  *en casa.*  .—.....................................
5. ¿Dónde estuvo usted?  *en la oficina.*  .—.....................................
6. ¿Dónde estuvieron ustedes?  *en el teatro.*  .—.....................................
7. ¿Dónde estuvo Miguel?  *en la fábrica.*  .—.....................................
8. ¿Dónde estuvimos anoche?  *en la gasolinera.*  .—.....................................

**II.**

## AYER **HICE** LAS MALETAS

*Tú.*  .—**¿Qué hiciste ayer?**

1. *María.*  .—.....................................
2. *Las secretarias.*  .—.....................................
3. *Usted.*  .—.....................................
4. *Vosotros.*  .—.....................................
5. *Pedro.*  .—.....................................
6. *Ustedes.*  .—.....................................
7. *Yo.*  .—.....................................
8. *Tú.*  .—.....................................

# Amplíe

Isabel **estuvo** en una zapatería.

Los niños **anduvieron** descalzos por la hierba.

Carlos **tuvo** un accidente esta mañana.

El verano pasado **hubo** un concurso de poesía.

El ministro **vino** en avión.

Los niños no **quisieron** ir a la escuela.

Ayer **fuimos** al mercado.

No me **dijo** la verdad.

Miguel **trajo** un mono de África.

Ayer **conduje** a 160 kilómetros por hora.

# Practique

**I.**

**A veces está enfermo.** *ayer.*　　　　　　　**.—Ayer estuvo enfermo.**

1. De cuando en cuando vamos al cine. *anoche.* .—................................
2. A menudo ando descalzo por la calle. *ayer.* .—................................
3. A veces tenemos un accidente. *esta mañana.* .—................................
4. Siempre hacen los ejercicios. *ayer.* .—................................
5. A veces está aquí a las siete. *ayer.* .—................................
6. José siempre viene en coche. *anoche.* .—................................
7. Siempre dicen la verdad. *ayer.* .—................................
8. La reunión es en casa de Pedro. *el sábado pasado.* .—................................

| | |
|---|---|
| CARMEN **FUE** AL CINE | LA PELÍCULA **FUE** INTERESANTE |

**II.**

**¿Fuiste a clase ayer?** *al zoo.*　　　　　　**.—No, fui al zoo.**

1. ¿Estuviste ayer en el concierto? *en el teatro.* .—................................
2. ¿Vinisteis ayer por la tarde? *por la mañana.* .—................................
3. ¿Te dijeron que sí? *que no.* .—................................
4. ¿Hicisteis todos los ejercicios? *sólo algunos.* .—................................
5. ¿Te pusiste el abrigo? *la chaqueta.* .—................................
6. ¿Trajiste la maleta? *la bolsa.* .—................................
7. ¿Fue interesante la reunión? *aburrida.* .—................................
8. ¿Viniste solo desde la estación? *con Carmen.* .—................................

# Hable

—¿Dónde estuvo usted ayer?

—*Ayer estuve en la playa.*

BARCELONA          ROMA

—¿Cómo viniste de Roma?

—..................................................

—¿Cuántas personas hubo en la fiesta?

—..................................................

—¿A dónde fueron Carmen y Luisa anoche?

—..................................................

—¿Qué trajiste de Sevilla?

—..................................................

—¿A dónde quisieron ir los niños?

—..................................................

—¿Qué le pasó a José?

—..................................................

—¿Quién puso el vaso sobre la mesa?

—..................................................

—¿Quién supo la lección ayer?

—..................................................

—¿Quién condujo deprisa?

—..................................................

# Situación XXVII

**Práctica oral:** *Imagine un diálogo.*

1.

2.

3.

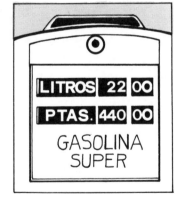

4.

# Entonación

a) ¿Por qué no vinisteis a cenar?          *(entonación ascendente)*

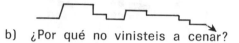

b) ¿Por qué no vinisteis a cenar?          *(entonación descendente)*

*Ejercicos prácticos:*

1. ¿Por qué te pusiste el abrigo?
2. ¿Por qué trajiste la maleta?
3. ¿Por qué viniste solo desde la estación?
4. ¿Por qué no fuiste ayer al concierto?
5. ¿Por qué no quisieron los niños ir a la escuela?
6. ¿Por qué hicisteis aquello?
7. ¿Por qué se paró el coche?
8. ¿Por qué tuviste que volver andando?

**Pintor.**—¿Has visto mis cuadros?

**Amigo.**—Vi los que pintaste el invierno pasado. ¿Has pintado más?

**Pintor.**—Sí. Ahora tengo muchos más. Pasa al estudio y los verás.

**Amigo.**—Has trabajado mucho.

**Pintor.** Sí. Cada día me gusta más la pintura.

**Amigo.**—¿Has hecho alguna exposición?

**Pintor.**—Expuse el año pasado en Madrid y, hace unas semanas, en Barcelona.

**Amigo.**—¿Visitó mucha gente la exposición?

**Pintor.**—Sí. Fue un éxito. Los críticos hablaron muy bien de ella.

**Amigo.**—¿Has vendido muchos?

**Pintor.**—Vendí seis en la exposición de Madrid y siete en la de Barcelona. Pero no me preocupa. De momento no puedo vivir de la pintura.

**Amigo.**—¡Hombre! El dinero es necesario.

**Pintor.**—Si algún día me ofrecen bastante, no dudaré en cogerlo. Así podré dedicarme exclusivamente a pintar.

**Amigo.**—No entiendo de pintura. Pero me gustan. He visto cuadros modernos que me dejan indiferente, pero los tuyos siempre me sorprenden.

**Pintor.**—He decidido regalarte uno. ¿Cuál eliges?

**Amigo.**—Hombre, no sé... Aquél me gusta mucho.

**Pintor.**—¿Cuál?

**Amigo.**—El que está al lado de la ventana.

**Pintor.**—Es el último que he pintado. Lo acabé esta mañana. Es tuyo.

**Amigo.**—Muchas gracias. Es un regalo magnífico. Seguro que dentro de unos años valdrá millones.

# Esquema gramatical

**I.**

| | |
|---|---|
| NUNCA **HE ESTADO** EN AMÉRICA | **ESTUVE** EN AMÉRICA EL AÑO PASADO |
| AÚN NO **HEMOS VISTO** EL MUSEO | NOSOTROS LO **VIMOS** AYER |
| YA **HA SALIDO** EL TREN | **SALIÓ** HACE DIEZ MINUTOS |

**II.**

HA LLAMADO ALGUIEN ⟶ **¿QUIÉN?**

DAME UN LIBRO

UNA DE ESAS CHICAS ES MI NOVIA ⟶ **¿CUÁL?**

**III.**

| | |
|---|---|
| DAME EL LIBRO. ESTÁ SOBRE LA MESA. | DAME EL LIBRO **QUE** ESTÁ SOBRE LA MESA. |
| HE VISTO AL HOMBRE. LLAMÓ AYER. | HE VISTQ AL HOMBRE **QUE** LLAMÓ AYER. |
| DAME EL LIBRO. LO COMPRÉ AYER. | DAME EL LIBRO **QUE** COMPRÉ AYER. |
| HE VISTO AL HOMBRE. LO CONOCISTE AYER. | HE VISTO AL HOMBRE **QUE** CONOCISTE AYER. |

# Practique

## I.

**¿Has visto a Juan?** *ayer.*                    .—**Sí, lo vi ayer.**

1. ¿Has hecho la cama? *esta mañana.*         .—.................................
2. ¿Han recibido el regalo? *a las ocho.*      .—.................................
3. ¿Has comprado el periódico? *esta mañana.*  .—.................................
4. ¿Ha visitado el museo? *hace dos horas.*    .—.................................
5. ¿Has puesto la radio? *hace una hora.*      .—.................................
6. ¿Hemos leído el anuncio? *ayer.*            .—.................................
7. ¿Habéis estudiado la lección? *anoche.*     .—.................................
8. ¿Ha encontrado el paraguas? *el sábado.*    .—.................................

| ¿HAS ESTADO ..............? | ESTUVE .............. |
|---|---|

## II.

**He estado en China.**                       .—**¿Cuándo estuviste en China?**

1. Has visto esa película.         .—..........................................
2. He ido al parque.               .—..........................................
3. Hemos hecho las maletas.        .—..........................................
4. Isabel ha vuelto de Italia.     .—..........................................
5. Habéis visitado el museo.       .—..........................................
6. Ustedes han reparado el coche.  .—..........................................
7. Has comprado un sombrero.       .—..........................................
8. Ha venido el cartero.           .—..........................................

El joven **que robó en el banco** está en la cárcel.

El caballo **que bebe agua** es de Pedro.

La chica **que te presenté en el parque** es mi hermana.

El barco **que viste** salió esta mañana.

La joven **a la que compré el anillo** es mi novia.

—Han roto uno de mis libros.
—**¿Cuál** han roto?

—Ha venido de muy lejos.
—**¿Quién** ha venido de muy lejos?

—Aquellos trajes me gustan.
—**¿Cuál** te gusta más?

—Esta mañana escribí una carta.
—**¿A quién** se la escribiste?

—Una de aquellas chicas es mi prima.
—**¿Cuál** es tu prima?

**¿Quién es el joven que vino a verte?** *un amigo.*
**.—El joven que vino a verme es mi amigo.**

1. ¿Quién es la chica que cantó en la fiesta? *mi hermana.*
   .—.................................................................................................

2. ¿Quién es el señor que conociste ayer? *mi profesor.*
   .—.................................................................................................

3. ¿Quién es la chica que telefoneó? *mi novia.*
   .—.................................................................................................

4. ¿Quién es el señor al que diste el paquete? *mi padre.*
   .—.................................................................................................

5. ¿Quién es el niño al que compraste caramelos? *mi hijo.*
   .—.................................................................................................

6. ¿Quién es el señor que tuvo un accidente? *mi tío.*
   .—.................................................................................................

7. ¿Quién es la señorita a la que regalaste flores? *una enfermera.*
   .—.................................................................................................

8. ¿Quién es la señora que se puso enferma? *mi esposa.*
   .—.................................................................................................

---

¿QUIÉN ES EL SEÑOR **QUE** ESTÁ EN LA CALLE?
EL SEÑOR **QUE** ESTÁ EN LA CALLE ES MI AMIGO.

---

**II.**

**El libro está sobre la mesa.** *Es de Juan.*
**.—El libro que está sobre la mesa es de Juan.**

1. La silla está rota. *Es del profesor.* .—.................................................
2. La ventana es estrecha. *Está abierta.* .—.................................................
3. El cuadro está colgado. *Es de Picasso.* .—.................................................
4. El museo está en la plaza. *Es interesante.* .—.................................................
5. El señor vino ayer. *Es mi padre.* .—.................................................
6. La secretaria se puso enferma. *Es mi amiga.* .—.................................................
7. El médico me vio. *Es tu hermano.* .—.................................................
8. El profesor tuvo un accidente. *Conduce mal.* .—.................................................

# Hable

—Cómprame una corbata.

—¿Cuál quieres?

—Ha llamado alguien.

—.....................................................

—Uno de los cuadros es de Velázquez.

—.....................................................

—Una de las secretarias es mi mujer.

—.....................................................

—He escrito a uno de mis hermanos.

—.....................................................

—Alguien está enfermo.

—.....................................................

—Le he telefoneado dos veces.

—.....................................................

—He perdido uno de mis encendedores.

—.....................................................

—He escrito una carta.

—.....................................................

—He subido a una montaña.

—.....................................................

# Recuerde

| ¿**QUIÉN** HA LLEGADO? | ¿A **QUIÉN** HAS VISTO? |
|---|---|
| ¿**QUIÉN** ES AQUEL SEÑOR? | ¿A **QUIÉN** ESCRIBES LA CARTA? |
| ¿**PARA QUIÉN** ES ESE REGALO?  ¿**CON QUIÉN** HABLAS? | |

# Practique

**He visto a María.**                    —**¿A quién has visto?**

1.  Aquel joven es mi primo.     .—...................................................
2.  Luis escribe a su amigo.     .—...................................................
3.  He visto a mi hermano.     .—...................................................
4.  Estas flores son para Carmen.     .—...................................................
5.  María ha comprado una bicicleta.     .—...................................................
6.  Nos ha visitado nuestro tío.     .—...................................................
7.  He saludado a tu hermano.     .—...................................................
8.  He encontrado a Luis en la calle.     .—...................................................
9.  He vendido seis cuadros a Pedro.     .—...................................................
10. Este regalo es para ti.     .—...................................................
11. Estoy hablando con mi novia.     .—...................................................
12. Ha llegado el cartero.     .—...................................................
13. Nos encontramos con María.     .—...................................................
14. Envié las fotos a mi mujer.     .—...................................................
15. Los críticos hablaron bien de tus cuadros.     —...................................................

# Situación XXVIII

**Práctica oral:** *Imagine un diálogo.*

1.

2.

3.

4.

*Señorita.*—Buenos días. He visto su anuncio en el periódico y vengo a informarme sobre el empleo.

*Portero.*—Rellene las hojas que hay en este sobre y espere. Yo la llamaré.
—¡Señorita Rodríguez! Ya puede pasar.

*Jefe.*—El anuncio dice: «se necesitan dos años de experiencia». ¿Ha tenido usted otros empleos?

*Señorita.*—Sí, he trabajado en una zapatería y en una oficina.

*Jefe.*—¿Qué hacía en la zapatería?

*Señorita.*—Era cajera.

*Jefe.*—¿Y en la oficina?

*Señorita.*—Llevaba la correspondencia.

*Jefe.*—¿Sabe usted taquigrafía?

*Señorita.*—Sí. Hice un curso el año pasado.

*Jefe.*—¿Y mecanografía?

*Señorita.*—También. Doy 250 pulsaciones por minuto.

*Jefe.*—¿Tiene usted experiencia en correspondencia comercial?

*Señorita.*—Sí. En la oficina escribía yo casi todas las cartas que salían.

*Jefe.*—¿Por qué dejó su empleo anterior?

*Señorita.*—Porque no me gustaba, y además ganaba poco dinero.

*Jefe.*—¿Cree usted que el que nosotros le ofrecemos le gustará más?

*Señorita.* No lo sé. Pero necesito trabajar. No tengo dinero.

*Jefe.*—Veo que es usted inconstante. En nuestra empresa se exige seriedad y dedicación al trabajo. Vuelva usted mañana a ver qué hemos decidido.

# Esquema gramatical I

**I.**

> LOS LIBROS **QUE** HAY SOBRE LA MESA SON DE JOSÉ
> LAS SEÑORITAS **QUE** VINIERON AYER SE HAN MARCHADO
>
> LOS LIBROS **QUE** COMPRASTE ESTA MAÑANA SON INTERESANTES
> LAS SEÑORITAS **QUE** CONOCISTE AYER SE HAN MARCHADO
>
> LOS SEÑORES **A LOS QUE** ENVIÉ LA CARTA HAN CONTESTADO
> LAS SEÑORITAS **A LAS QUE** REGALASTE LAS FLORES HAN LLEGADO

**II.**

> HAY DOS SEÑORITAS EN EL BAR: —**¿QUIÉNES** SON ESAS SEÑORITAS?
> HAY DOS SEÑORES EN LA FÁBRICA: —**¿QUIÉNES** SON ESOS SEÑORES?
>
> QUIERO UN PAR DE CALCETINES: —**¿CUÁLES** QUIERES?

**III.**

> **¿QUÉ** ZAPATOS QUIERES?  —**LOS QUE** ESTÁN SOBRE LA SILLA.
> **¿QUÉ** SEÑORES HAN LLEGADO? —**LOS QUE** ESPERABAS.

## Practique

**I.**

**Las plumas están sobre la mesa. Son de Isabel.**
**.—Las plumas que están sobre la mesa son de Isabel.**

1. Los médicos trabajaron esta mañana. Están cansados.

   .—.......................................................................................

2. Los niños vinieron a verme. Son mis hijos.

   .—.......................................................................................

3. Los alumnos llegaron tarde. Están preocupados.

   .—.......................................................................................

4. Ayer compré las revistas. Son interesantes.

   .—.......................................................................................

5. Las enfermeras son muy simpáticas. Las conocí ayer.

   .—.......................................................................................

6. Los estudiantes hicieron el examen. Están en el bar.

   .—.......................................................................................

7. Las secretarias han salido. Son muy amables.

   .—.......................................................................................

8. Los jóvenes están en el hospital. Han tenido un accidente.

   .—.......................................................................................

| ¿QUIÉNES? | ¿CUÁLES? |
|---|---|

**II.**

**Hay unos señores en el bar.**     —¿Quiénes son esos señores?
**Quiero dos de esos cuadros.**     —¿Cuáles quieres?

1. Hay dos señoritas en la oficina.    .—.............................................
2. Hay unos niños en el jardín.    .—.............................................
3. Quiero algunas de esas revistas.    .—.............................................
4. Quiero dos de esas flores.    .—.............................................
5. Hay unos jóvenes en casa.    .—.............................................
6. Quiero un par de zapatos.    .—.............................................
7. Hay varias señoras en la cocina.    .—.............................................
8. Quiero unos pantalones.    .—.............................................

La pera **que hay en el frutero** está madura.

**Las que hay en el árbol** están verdes.

Las uvas **que compraste ayer** son frescas.

**Las que había en el cesto** estaban pasadas.

Las señoritas **que llamaron ayer** son mis amigas.

**La que llamó esta tarde** es mi novia.

El señor **que conocí ayer** es juez.

**Los que conocí esta tarde** son abogados.

—¿**Qué** pantalones quiere?
—**Los que están en el escaparate.**

—¿**Cuáles** prefieres?
—**Los que me enseñaste ayer.**

## Practique

---

|  |  |
|---|---|
| **EL QUE** | **LA QUE** |
| **LOS QUE** | **LAS QUE** |

### I.

**Las naranjas que hay en el frutero están maduras.**
*árbol / verdes.*   .—**Las que hay en el árbol están verdes.**

1. Los zapatos que hay en el escaparate son negros.
   *sobre la silla / marrones.*   .—.........................................................
2. Los niños que hay en el patio son mis hijos.
   *jardín / tuyos.*   .—.........................................................
3. Las señoritas que están en la cocina son mis hermanas.
   *comedor / amigas.*   .—.........................................................
4. Los estudiantes que llegaron tarde están preocupados.
   *pronto / contentos.*   .—.........................................................
5. Las monedas que encontraste ayer son antiguas.
   *esta mañana / modernas.*   .—.........................................................

### II.

**¿Qué libro prefieres?**   *sobre la mesa.*   .—**El que está sobre la mesa.**

1. ¿Qué peras prefieres?  *maduras.*  .—.........................................
2. ¿Qué uvas quieres?  *en el frigorífico.*  .—.........................................
3. ¿Qué estudiantes llegaron tarde?  *en el bar.*  .—.........................................
4. ¿Qué restaurante te gusta más?  *a la izquierda.*  .—.........................................
5. ¿Qué coche comprarás?  *en el escaparate.*  .—.........................................
6. ¿Qué naranjas quieres?  *en el frutero.*  .—.........................................
7. ¿Qué vino prefieres?  *en la botella.*  .—.........................................
8. ¿Qué sombrero te pones?  *sobre la cama.*  .—.........................................

# Hable

—¿Cuáles son tus pantalones?
—*Los que están sobre la silla.*

—¿Cuáles son tus hermanos?
—...............................................

—¿Qué manzanas prefieres?
—...............................................

—¿Qué cuadros te gustan más?
—...............................................

—¿Cuál es tu encendedor?
—...............................................

—¿Qué señorita es tu hermana?
—...............................................

—¿Qué vasos compraste ayer?
—...............................................

—¿Qué botella está vacía?
—...............................................

—¿Qué uvas prefieres?
—...............................................

—¿Cuáles comprarás?
—...............................................

# Esquema gramatical II

---

| En esta tienda hablan inglés | $\longrightarrow$ | **SE HABLA** inglés. |
| Aquí reparan automóviles | $\longrightarrow$ | **SE REPARAN** automóviles. |

**I.**

**¿Qué venden en esta tienda?** *pan.*     **.—Se vende pan.**

1. ¿Qué alquilan en esta casa? *coches.*    .—..........................................
2. ¿Qué reparan en esta casa? *relojes.*    .—..........................................
3. ¿Qué hacen en esta fábrica? *vestidos.*    .—..........................................
4. ¿Qué hablan en este hotel? *español.*    .—..........................................
5. ¿Qué venden en la librería? *libros.*    .—..........................................
6. ¿Qué fabrican en esta empresa? *máquinas.*    .—..........................................
7. ¿Qué compran en este almacén? *muebles.*    .—..........................................
8. ¿Qué idioma hablan en Alemania? *alemán.*    .—..........................................

**II.**

**En este taller se reparan coches.**     **.—¿Qué se repara en este taller?**

1. En esta tienda se venden relojes.    .—..........................................
2. En esta fábrica se hacen vestidos.    .—..........................................
3. En esta casa se exige seriedad.    .—..........................................
4. En esta oficina se habla alemán.    .—..........................................
5. En esta escuela se estudian idiomas.    .—..........................................
6. En aquella casa se alquilan coches.    .—..........................................
7. Desde esa ventana se ve el zoo.    .—..........................................
8. En aquel puesto se venden flores.    .—..........................................
9. En aquel taller se hacen muebles.    .—..........................................

# Situación XXIX

**Práctica oral:** *Imagine un diálogo.*

1.

2.

3.

4.

*Carmen.*—¡Qué cansada estoy! ¡Qué mañana tan aburrida!

*María.*—¿Qué hiciste?

*Carmen.*—Me entrevistaron en una oficina. ¡Uf! ¡Cuántas preguntas!

*María.*—¿Has encontrado trabajo?

*Carmen.*—Aún no lo sé. Me lo dirán mañana. ¡Hay tanta competencia! Había otras cuatro chicas para el mismo empleo.

*María.*—No te preocupes. Seguro que te lo darán a ti. Tienes experiencia y sabes convencer.

*Carmen.*—Esta vez no convenceré a nadie. No le gusté al señor que me entrevistó.

*María.*—¿Por qué dices eso? ¿Cómo lo sabes?

*Carmen.*—Las entrevistas me cansan. No pensé en lo que decía.

*María.*—No te preocupes. Ya habrá otra ocasión mejor.

*Carmen.*—Lo dudo.

*María.*—¡Qué pesimista eres!

*Carmen.*—Cada día me interesa menos el trabajo de oficina. ¡Es tan monótono! Tendré que pensar en otra cosa.

*María.*—¿Qué otra cosa puedes hacer?

*Carmen.*—De momento no veo ninguna posibilidad. Me interesa mucho la fotografía. Pero no encuentro trabajo como fotógrafo.

*María.*—Yo tampoco estoy contenta con mi trabajo. Pero pocas personas pueden hacer lo que realmente desean.

*Carmen.*—Tienes razón. La mayoría tenemos que hacer lo que nos ofrecen.

*María.*—Algún día encontrarás lo que buscas.

# Esquema gramatical

$$QUÉ \; + \; \begin{cases} \text{ADJETIVO (+ sustantivo)} \\ \\ \text{SUSTANTIVO + TAN + ADJETIVO} \end{cases}$$

*ESTOY CANSADO*             ⟶ **¡QUÉ** CANSADO ESTOY!

*AQUEL EDIFICIO ES ALTO*     ⟶ **¡QUÉ** ALTO ES AQUEL EDIFICIO!

*AQUELLAS CHICAS SON JÓVENES* ⟶ **¡QUÉ** JÓVENES SON AQUELLAS CHICAS!

*AQUEL ÁRBOL ES ALTO*         ⟶ **¡QUÉ** ÁRBOL     **TAN** ALTO!

*AQUELLA SEÑORITA ES GUAPA*   ⟶ **¡QUÉ** SEÑORITA **TAN** GUAPA!

*AQUELLOS CUADROS SON CAROS* ⟶ **¡QUÉ** CUADROS **TAN** CAROS!

---

## II.

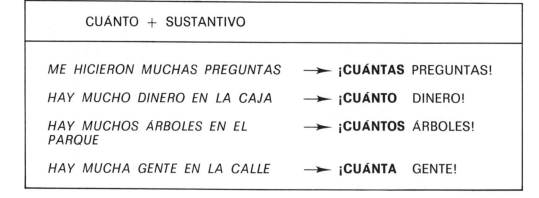

CUÁNTO + SUSTANTIVO

*ME HICIERON MUCHAS PREGUNTAS*    ⟶ **¡CUÁNTAS** PREGUNTAS!

*HAY MUCHO DINERO EN LA CAJA*    ⟶ **¡CUÁNTO** DINERO!

*HAY MUCHOS ÁRBOLES EN EL PARQUE* ⟶ **¡CUÁNTOS** ÁRBOLES!

*HAY MUCHA GENTE EN LA CALLE*    ⟶ **¡CUÁNTA** GENTE!

# Practique

## I.

**Juan está muy cansado.**        .—**¡Qué cansado está Juan!**

1. Hace mucho calor.                 .—..........................................
2. Estoy muy triste.                  .—..........................................
3. La comida está fría.               .—..........................................
4. Antonio es delgado.                .—..........................................
5. Las niñas tienen sed.              .—..........................................
6. María está contenta.               .—..........................................
7. Estamos aburridos.                 .—..........................................
8. Isabel es muy guapa                .—..........................................

| **¡QUÉ** NIÑOS! | **¡CUÁNTOS** NIÑOS! |
|---|---|

## II.

**Este joven es muy perezoso.**        .—**¡Qué joven tan perezoso!**
**Hay muchos niños en el parque.**     .—**¡Cuántos niños!**

1. Aquellos libros son muy interesantes.    .—.................................
2. Hay muchas monedas sobre la mesa.        .—.................................
3. Ese jardín es muy grande.                .—.................................
4. Veo mucha gente.                         .—.................................
5. Esas enfermeras son muy simpáticas.      .—.................................
6. Juan tiene mucho dinero.                 .—.................................
7. Hay muchas flores en el jardín.          .—.................................
8. Me hizo muchas preguntas.                .—.................................

# Amplíe

—Aprobarás el examen.
—**¡Qué** optimista eres!

—**¿Qué** es esto?
—Unas gafas.

—**¿Qué** es eso?
—Una procesión.

—**¿Qué** es aquello?
—Son pájaros.

—Juan ha ido a un entierro.
—**¿Cómo** lo sabes?

—Luis llegará el primero.
—**No lo creo.**

—**¿Qué** dijo Carlos?
—No sé lo que dijo.

—¿Sabes **lo que** quieres?
—Siempre sé **lo que** quiero.

—**Lo que** dices es mentira.

—**Lo que** quiero es encontrar empleo.

# Practique

| ESTO | ESO | AQUELLO |
|------|-----|---------|

## I.

**¿Qué es eso?** *un parque.* **.—Eso es un parque.**

1. ¿Qué es aquello? *un teatro.*        .—........................................
2. ¿Qué es esto? *un encendedor.*        .—........................................
3. ¿Qué es eso? *una procesión.*        .—........................................
4. ¿Qué es aquello? *unas gafas.*        .—........................................
5. ¿Qué es esto? *un diccionario.*        .—........................................
6. ¿Qué es aquello? *un toro.*        .—........................................
7. ¿Qué es eso? *un anuncio.*        .—........................................
8. ¿Qué es esto? *una fotografía.*        .—........................................

| ¿CUÁNTO? ¿CUÁNTA? | ¿CUÁNTOS? ¿CUÁNTAS? |
|-------------------|---------------------|

## II.

**El niño tiene unos lápices.** **.—¿Cuántos tiene?**

1. Tienen mucho dinero.        .—........................................
2. Quiere agua.        .—........................................
3. Hay muchos árboles en la ciudad.        .—........................................
4. Venía mucha gente con él.        .—........................................
5. Llevaré un poco de café.        .—........................................
6. La niña come fruta.        .—........................................
7. Aún tiene varios vestidos.        .—........................................
8. Me esperan algunas amigas.        .—........................................

# Hable

—¿......................................................?
—Es una procesión.

—¿......................................................?
—Es un árbol.

—Carmen se ha casado.
—¿......................................................?

—Luis ganará la carrera.
—¿......................................................?

—Esta tarde lloverá.
—¿......................................................?

—¿......................................................?
—Una corrida de toros.

—¿......................................................?
—Unas gafas.

—¿Sabes lo que podemos hacer?
—......................................................

—Yo creo que el tren llegará a las 8,00.
—¿......................................................?

—¿Dónde está mi reloj?
—......................................................

# Situación XXX

**Práctica oral:** *Describa la siguiente situación.*

1.

2.

3.

4.

# Fonética

### Oposición [r] - [r̄]

| | | |
|---|---|---|
| pero | — | perro |
| coro | — | corro |
| caro | — | carro |
| para | — | parra |
| pera | — | perra |

*Ejercicios prácticos:*

1. Nuestros amigos tienen mucho dinero.
2. Juan ha ido a un entierro.
3. Los niños juegan con el perro.
4. Me estoy preparando para correr.
5. La parra no da peras, da uvas.
6. Este carro es demasiado caro.
7. ¡Qué mañana tan aburrida!
8. ¡Qué joven tan perezoso!

*Locutor.*—Tenemos hoy en nuestro estudio a una de las estrellas más famosas del momento: «Estrella Fugaz».

—Señorita Fugaz, ¿es éste su nombre real?

*Estrella.*—No. Verá… Cuando era pequeña vivía en el campo. Una noche de verano mi padre me llevó a dar un paseo. De repente, una estrella cruzó el cielo de un lado a otro. Asustada me refugié en los brazos de papá y le pregunté: «¿Por qué corre aquella estrella, papá?» Mi padre dijo: «Es una estrella fugaz.» Aquello me impresionó mucho. Por eso, cuando empecé a trabajar en el cine, decidí llamarme «Estrella Fugaz».

*Locutor.*—Actualmente es usted una de las mujeres más ricas y famosas del mundo. ¿Es importante el dinero para usted?

*Estrella.*—Cuando se tiene mucho, el dinero no es importante. Para mí son más importantes mi carrera y mi perrito «Lucero».

*Locutor.*—Aunque es rica y bella, continúa soltera. ¿Por qué?

*Estrella.*—Porque en el amor soy muy inconstante. Me enamoro fácilmente, y dejo de amar con la misma facilidad.

*Locutor.*—¿Ha tenido alguna decepción?

*Estrella.*—En realidad, siempre he sido afortunada y feliz. Pero me llevé un disgusto enorme cuando llevé a mi abuela, de setenta años, al estreno de mi última película. Siguió el documental con interés; pero en cuanto empezó la película, se durmió y no despertó hasta el final. Yo me sentí ofendida y le pregunte: «Abuela, ¿no te gusta mi película?» Ella sonrió y dijo: «Para verte hacer tonterías, no necesito venir al cine.» Aquel día creí morir.

*Locutor.*—Su abuela debe ser muy inteligente.

*Estrella.*—Sí. Es una de las mujeres más inteligentes que he conocido. Cuando era joven se parecía a mí. Yo …………

# Esquema gramatical

| Pretérito Indefinido de los verbos en -IR que cambian la raíz en el presente |
|---|

|  | PRESENTE | INDEFINIDO |
|---|---|---|
| *DORMIR* | duermo | DORMÍ |
|  | duermes | DORMISTE |
|  | duerme | DURMIÓ |
|  | dormimos | DORMIMOS |
|  | dormís | DORMISTEIS |
|  | duermen | DURMIERON |
| *PEDIR* | pido | PEDÍ |
|  | pides | PEDISTE |
|  | pide | PIDIÓ |
|  | pedimos | PEDIMOS |
|  | pedís | PEDISTEIS |
|  | piden | PIDIERON |

*NOTA:* Ocurre lo mismo con: *seguir, conseguir, preferir, sentir, dormir, morir.*

II.

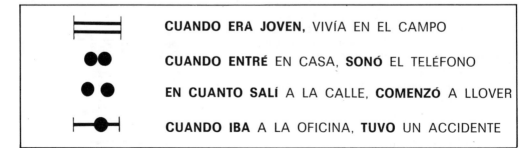

**CUANDO ERA JOVEN,** VIVÍA EN EL CAMPO

**CUANDO ENTRÉ** EN CASA, **SONÓ** EL TELÉFONO

**EN CUANTO SALÍ** A LA CALLE, **COMENZÓ** A LLOVER

**CUANDO IBA** A LA OFICINA, **TUVO** UN ACCIDENTE

# Practique

## I.

¿Cuántas horas durmieron los niños? *ocho.*   —**Los niños durmieron ocho horas.**

1. ¿Qué sintió José al caer? *dolor.* .—.............................................
2. ¿Qué te pidió tu hermano? *mil pesetas.* .—.............................................
3. ¿A qué edad murió don Antonio? *a los ochenta años.* .—.............................................
4. ¿Quién prefirió ir de excursión? *María.* .—.............................................
5. ¿Quién siguió al ladrón? *la policía.* .—.............................................
6. ¿Qué te pidieron en la aduana? *el pasaporte.* .—.............................................
7. ¿Quién consiguió ganar la carrera? *Carlos.* .—.............................................
8. ¿Cuántas horas durmió Carlos esta noche? *siete.* .—.............................................

| CUANDO **ERA** ............ | VIVÍA ............ |
|---|---|
| CUANDO **ENTRÉ** ............ | SONÓ ............ |

## II.

**Antes trabajaba en una zapatería. Era cajera.**   —**Cuando trabajaba en una zapatería era cajera.**

1. Entonces iba a la Universidad. Estudiaba mucho. .—.............................................
2. Antes vivían cerca del mar. Nadaban todos los días. .—.............................................
3. Entonces no había coche. El pueblo era tranquilo. .—.............................................
4. Entonces se dedicaba a los negocios. Viajaba mucho. .—.............................................
5. Antes no tenía coche. Iba en bicicleta. .—.............................................
6. Antes no tenía televisor. Iba al cine. .—.............................................
7. Entonces éramos jóvenes. Hacíamos deporte. .—.............................................
8. Antes vivía en el campo. Andaba mucho. .—.............................................

En **cuanto** arrancó el tren, se durmió.

El coche chocó contra un árbol **cuando** seguía al ladrón.

**Cuando** vivía en Asturias trabajaba en una mina.

**Cuando** subí al autobús me encontré con Carmen.

**En cuanto** me vio, vino a saludarme.

**En cuanto** oyó el despertador, se levantó.

**Cuando** era joven escribía versos.

**Cuando** me desperté eran las 12,00.

Cuando **salí** de casa, **cerré** la puerta.

Cuando **abrió** la puerta, **oyó** un disparo.

# Practique

---

**I.**

**Empezó la película. En seguida se durmió.**
**.—En cuanto empezó la película, se durmió.**

| | | |
|---|---|---|
| 1. | Viajaba en tren. Perdió el bolso. | .—Cuando ...................... |
| 2. | Entré en casa. En seguida sonó el teléfono. | .—En cuanto .................... |
| 3. | Llamé. En seguida abrió la puerta. | .—En cuanto .................... |
| 4. | Me desperté. Eran las diez. | .—Cuando ...................... |
| 5. | Estaba de vacaciones. Se murió. | .—Cuando ...................... |
| 6. | Estaba en la montaña. Se rompió una pierna. | .—Cuando ...................... |
| 7. | Salió el sol. Nos metimos en el agua. | .—En cuanto .................... |
| 8. | Iba a la fábrica. Se encontró con Miguel. | .—Cuando ' ...................... |

# Recuerde

**ES UNA DE** LAS CHICAS MÁS SIMPÁTICAS **QUE** HE CONOCIDO

**Esta casa es muy antigua.** *ver.*  .—**Es una de las casas más antiguas que he visto.**

| | | |
|---|---|---|
| 1. | Este libro es muy caro. *comprar.* | .—.............................. |
| 2. | Aquel museo es muy grande. *visitar.* | .—.............................. |
| 3. | Esa cerveza es muy buena. *beber.* | .—.............................. |
| 4. | Este libro es muy aburrido. *leer.* | .—.............................. |
| 5. | Marta es una chica muy guapa. *conocer.* | .—.............................. |
| 6. | Esa piscina es muy profunda. *ver.* | .—.............................. |
| 7. | Antonio es un joven muy inteligente. *saludar.* | .—.............................. |
| 8. | Es una carta muy larga. *recibir.* | .—.............................. |

# Hable

—¿Cuándo te rompiste el brazo?

—*Me rompí el brazo cuando caí por la escalera.*

—¿Cuándo escribías cartas?

—..................................................

—¿Cuándo bajaste del tren?

—..................................................

—¿Cuándo perdiste la cartera?

—..................................................

—¿Cuándo despertaste?

—..................................................

—¿Cuándo empezó la película?

—..................................................

—¿Cuándo abriste el paraguas?

—..................................................

—¿Cuándo fuisteis a nadar?

—..................................................

—¿Cuándo trabajaba en el taller?

—..................................................

—¿Cuándo vivías en el campo?

—..................................................

# Situación XXXI

**Práctica oral:** *Realice la siguiente entrevista:*

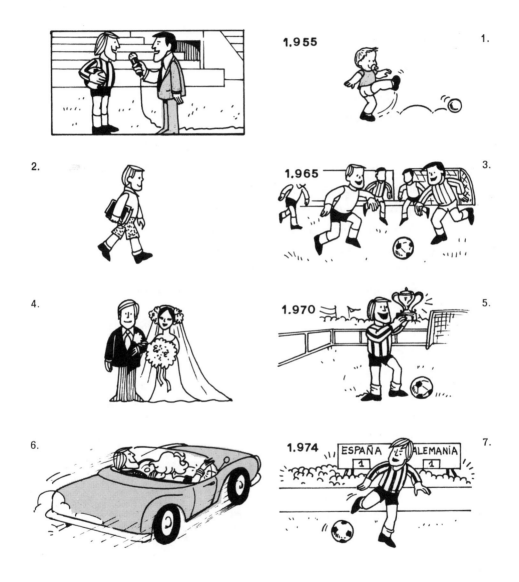

1.955    1.

2.

1.965    3.

4.

1.970    5.

6.

1.974   ESPAÑA 1 – ALEMANIA 1   7.

# Entonación

Cuando era joven, vivía en el campo.

*Ejercicios prácticos:*

1. Cuando entré en casa, sonó el teléfono.
2. Cuando iba a la oficina, tuvo un accidente.
3. Cuando arrancó el tren, se durmió.
4. Cuando era joven, escribía versos.
5. Cuando me desperté, eran las doce.
6. Cuando salí de casa, cerré la puerta.
7. Cuando me vio, vino a saludarme.
8. Cuando subí al autobús, me encontré con Luisa.

*Periodista.*—Señor López, ¿ya habían asaltado su joyería cuando usted la abrió la mañana del robo?

*Joyero.*—No. Como de costumbre, la noche anterior yo mismo había retirado las joyas del escaparate. A la mañana siguiente llegué a la tienda a las ocho para ponerlas de nuevo en su lugar. No abrimos hasta las nueve. Así que, después de colocar las joyas, fui a desayunar a una cafetería que hay al otro lado de la plaza.

*Periodista.*—¿Cerró usted bien la puerta?

*Joyero.*—Naturalmente. Todos los días repito la misma operación y nunca había pasado nada.

*Periodista.*—¿Qué distancia hay desde la joyería hasta la cafetería?

*Joyero.*—Unos cien metros.

*Periodista.*—¿Cuánto tiempo se toma usted para desayunar?

*Joyero.*—Entre diez y quince minutos.

*Periodista.*—Durante ese tiempo, ¿no hay ningún empleado en la tienda?

*Joyero.*—Los empleados no llegan hasta las nueve. Pero éste es un lugar céntrico y suele haber un guardia cerca.

*Periodista.*—¿No había nadie en la plaza cuando robaron en la tienda?

*Joyero.*—Parece que los ladrones lo habían calculado todo muy bien. A esa hora la gente va apresurada al trabajo y las tiendas no han abierto todavía. Posiblemente me habían vigilado y sabían que yo estaba en el bar.

*Periodista.*—¿Cómo consiguieron llevarse las joyas?

*Joyero.*—Yo las había puesto en el escaparate. Ellos sólo tuvieron que romper el cristal y cogerlas. Fue una cuestión de segundos. Desde la cafetería oímos el ruido de cristales rotos. Pero cuando llegamos a la tienda, los ladrones ya se habían fugado.

# Esquema gramatical

## I.

| PLUSCUAMPERFECTO | HABÍA | |
|---|---|---|
| | HABÍAS | llegado |
| | HABÍA | |
| | HABÍAMOS | cogido |
| | HABÍAIS | escrito |
| | HABÍAN | |

## II.

CUANDO **LLEGAMOS** A LA ESTACIÓN, EL TREN YA **HABÍA SALIDO**

CUANDO **SALÍ** DE CASA, **HABÍA PARADO** DE LLOVER

## Practique

**¿A qué hora salió el tren?** *a las diez.* **.—A las diez ya había salido.**

1. ¿A qué hora llegó José a casa? *a las 11.* .—.................................
2. ¿A qué hora acabaste el trabajo? *a las 8.* .—.................................
3. ¿A qué hora se levantaron ustedes? *a las 9.* .—.................................
4. ¿A qué hora robaron el Banco? *a las 4,30.* .—.................................
5. ¿A qué hora ocurrió el accidente? *a la una.* .—.................................
6. ¿A qué hora salieron del teatro?. *a las tres.* .—.................................
7. ¿A qué hora cenó usted ayer? *a las 12.* .—.................................
8. ¿A qué hora se acostaron los niños? *a las 9.* .—.................................

# Amplíe

Cuando llegamos a la playa **se había ocultado** el sol.

Cuando regresamos a la ciudad ya **había oscurecido.**

Cuando oímos el gallo ya **había amanecido.**

Cuando llegué al aeropuerto ya **había despegado** el avión.

Cuando llegamos al teatro ya **se habían agotado** las entradas.

Cuando llegaron los bomberos ya **se había quemado** la casa.

Antes de acostarse José **puso** el despertador.

Después de desayunar **comenzó** a estudiar.

Después de clase **fuimos** a dar un paseo.

Después de comer **fui** a cortarme el pelo.

# Practique

**Llegamos a la ciudad. Había oscurecido.**
**.—Cuando llegamos a la ciudad había oscurecido.**

1. Entramos en el cine. La película había comenzado.   .—........................
2. Fuimos a casa de Antonio. Ya se había marchado.   .—........................
3. Vi a María por la mañana. Ya se había cortado el pelo.   .—........................
4. Conocí a Carmen. Ya se había casado.   .—........................
5. Acabamos el trabajo. Ya había oscurecido.   .—........................
6. Despertamos. Había salido el sol.   .—........................
7. Llegó el médico. El enfermo ya había muerto.   .—........................
8. Conocí a Luis. Ya había comprado el coche.   .—........................

| ANTES DE | cenar | vimos la televisión. |
|---|---|---|
| DESPUÉS DE | | |

## II.

**Salimos de casa. Cerramos la puerta.**
**.—Después de salir de casa, cerramos la puerta.**

1. Tomamos un helado. Fuimos a la escuela.   .—........................
2. Cogimos los libros. Fuimos a la Universidad.   .—........................
3. Saludaron a Pedro. Se fueron.   .—........................
4. Compró el periódico. Lo leyó.   .—........................
5. Tomó un café. Cogió el tren.   .—........................
6. Nos pusimos el abrigo. Salimos a la calle.   .—........................
7. Tomamos el postre. Fumamos un cigarrillo.   .—........................
8. Rompieron los cristales. Se llevaron las joyas.   .—........................

# Hable

Llegamos a la estación.

—*Cuando llegamos a la estación el tren había salido.*

Conocí a Miguel.

..............................................................

Puse la televisión.

..............................................................

Llamé a Isabel.

..............................................................

Regresamos a casa.

..............................................................

Fuimos al restaurante.

..............................................................

Llegó la policía.

..............................................................

Vino el médico.

..............................................................

Llegó su carta.

..............................................................

Salimos a la calle.

..............................................................

# Recuerde: DESDE/HASTA

—Antonio comenzó a trabajar a las ocho. Acabó de trabajar a las diez.

—ANTONIO TRABAJÓ **DESDE** LAS OCHO **HASTA** LAS DIEZ.

—María llegó a París en mayo. Regresó a Barcelona en septiembre.

—ESTUVO EN PARÍS **DESDE** MAYO **HASTA** SEPTIEMBRE.

—Miguel salió de casa en coche. Fue a la oficina.

—MIGUEL FUE EN COCHE **DESDE** CASA **HASTA** LA OFICINA.

## Practique

**I.**

¿**Cuánto tiempo trabajaste?** *8 - 10.* .—**Desde las 8 hasta las 10.**

1. *9 - 11.*  .—.........................................
2. *5 - 8.*   .—.........................................
3. *8 - 2.*   .—.........................................
4. *3 - 7.*   .—.........................................
5. *4 - 10.*  .—.........................................

**II.**

¿**Cuánto anduviste esta mañana?** *plaza - estación.* .—**Anduve desde la plaza hasta la estación.**

1. *oficina - restaurante.*  .—.........................................
2. *escuela -parque.*  .—.........................................
3. *Banco - plaza.*  .—.........................................
4. *casa - cine.*  .—.........................................
5. *fábrica - bar.*  .—.........................................

# Situación XXXII

**Práctica oral:** *Describa la siguiente situación.*

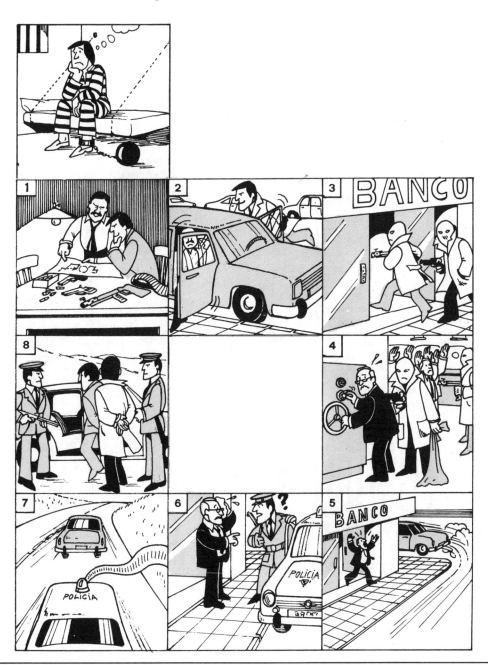

Ciudad Real: Molinos de viento.

# 33 | *Dice que hace mucho calor*

*Pedro.*—Acaba de llegar el cartero. Hay dos cartas para ti.

*Adolfo.*—¡Hombre! Ésta es de Juan. Hace dos días que salió de vacaciones hacia el Sur. A ver qué nos cuenta en su carta. Dice que hace mucho calor y que se divierte mucho. También dice que ha conocido a una chica sevillana muy simpática. ¡A ver si vuelve hablando andaluz! Dice que mañana saldrá para Granada y que visitará algunos pueblos del campo.

*Pedro.*—¿Cuándo regresará?

*Adolfo.*—Cree que llegará a Barcelona el próximo sábado.

*Pedro.*—¿Le acompañará esa sevillana que tanto le ha gustado?

*Adolfo.*—Dice que la ha invitado, pero que no sabe si aceptará, aunque cree que está interesada.

*Pedro.*—¡Qué suerte estar de vacaciones! Yo no podré irme hasta el mes que viene. ¿Y tú?

*Adolfo.*—Yo también tendré mis vacaciones en agosto. Iré a Andalucía a ver si tengo tanta suerte como Juan.

*Pedro.*—Es buena idea. A lo mejor te acompaño.

*Adolfo.*—¡Un momento! La otra carta es del Banco. ¡Qué bien! Me comunican que ha habido un ingreso de 10.000 pesetas en mi cuenta. Estás invitado. Vamos a celebrarlo. ¿Qué te parece un tablao flamenco?

*Pedro.*—¡Magnífico! Así estaremos mejor preparados para recibir a Juan y a su acompañante.

# Esquema gramatical I

**I.**

| ESTILO INDIRECTO |
| --- |
| PRESENTE + { PRESENTE / FUTURO / PRETÉRITO PERFFECTO |
| «Estoy cansado» ⟶ **DICE** QUE **ESTÁ** CANSADO<br>«Llegaré mañana» ⟶ **DICE** QUE **LLEGARÁ** MAÑANA<br>«He visitado un museo» ⟶ **DICE** QUE **HA VISITADO** UN MUSEO |

**II.**

| ACABAR DE + INFINITIVO |
| --- |
| YO **ACABO DE** LLEGAR<br>EL TREN **ACABA DE** SALIR<br>**ACABAN DE** TENER UN ACCIDENTE |

# Practique

## I.

*«Estoy cansado».* **¿Qué dice Luis?**   .—**Dice que está cansado.**

1. *«Tengo hambre».* ¿Qué dice Miguel?   .—....................................
2. *«Me duele una muela».* ¿Qué dice Pilar?   .—....................................
3. *«Estoy resfriada».* ¿Qué dice Isabel?   .—....................................
4. *«Tenemos frío».* ¿Qué dicen los niños?   .—....................................
5. *«Vamos al cine».* ¿Qué dicen Uds.?   .—....................................
6. *«No sé conducir».* ¿Qué dice usted?   .—....................................

|  | |
|---|---|
| **DICE QUE** | ESTÁ CANSADO |
|  | LLEGARÁ MAÑANA |
|  | HA LLEGADO MIGUEL |

## II.

*«Hemos visto un museo».* **¿Qué dicen los turistas?**   —**Los turistas dicen que han visto un museo.**

1. *«Regresaré el próximo martes».* ¿Qué dice Miguel?   .—....................................
2. *«He conocido a mucha gente».* ¿Qué dice Pilar?   .—....................................
3. *«Ha llovido mucho».* ¿Qué dice José?   —....................................
4. *«Mañana iré a la montaña».* ¿Qué dice Carmen?   .—....................................
5. *«Hemos esquiado mucho».* ¿Qué dicen tus amigos?   .—....................................
6. *«Esta tarde iremos al aeropuerto».* ¿Qué dicen las secretarias?   .—..........
7. *«Hemos comprado muchas postales».* ¿Qué dicen los turistas?   .—..........
8. *«Mañana iremos a Granada».* ¿Qué dicen tus amigas?   .—....................................

**Dice que** ha comprado pan y queso para merendar.

**Dicen que** tienen mucha prisa.

**Dice que** no es fácil montar a caballo.

**Dice que** colecciona monedas antiguas.

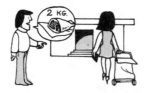

**Dice que** ha encontrado su cartera.

**Dicen que** han perdido diez duros.

**Dice que** comprará dos kilos de carne.

**Dicen que** los ladrones han entrado en el Banco.

**Cree que** parará de llover pronto.

**Dice que** vaciará la papelera.

# Recuerde

## AUNQUE ESTOY ENFERMO, IRÉ DE EXCURSIÓN

**I.**

**Hace frío, pero iremos a la playa.**     .—**Aunque hace frío, iremos a la playa.**

1. Es tarde, pero entraremos al cine.     .—.....................................
2. Llueve mucho, pero iremos al campo.     .—.....................................
3. No sé la lección, pero iré a clase.     .—.....................................
4. Hace sol, pero tengo frío.     .—.....................................
5. Está enfermo, pero ha ido a trabajar.     .—.....................................
6. Corrió mucho, pero no pudo coger el tren.     .—.....................................
7. No salió el sol, pero nadamos en el mar.     .—.....................................
8. No he visto a Juan pero sé que ha llegado.     .—.....................................

## ¿HAS COMIDO?          ACABO DE COMER.

**II.**

**¿Ha llegado el cartero?**     .—**Acaba de llegar.**

1. ¿Ha salido el tren?     .—.....................................
2. ¿Ha ganado la carrera?     .—.....................................
3. ¿Ha entrado el profesor?     .—.....................................
4. ¿Habéis hecho los deberes?     .—.....................................
5. ¿Has llamado a tu hermano?     .—.....................................
6. ¿Habéis cerrado la ventana?     .—.....................................
7. ¿Ha salido el sol?     .—.....................................
8. ¿Ha encontrado la moneda?     .—.....................................

# Hable

—Hemos perdido el tren.

—*Dicen que han perdido el tren.*

—He comprado una bicicleta.

—.....................................................

—Esta tarde nadaré en el río.

—.....................................................

—Escalaremos aquella montaña.

—.....................................................

—He roto un cristal.

—.....................................................

—Tenemos prisa.

—.....................................................

—Mañana montaré a caballo.

—.....................................................

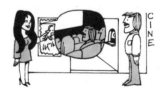

—Quiero ver esa película.

—.....................................................

—He encontrado un lápiz.

—.....................................................

—No entendemos la lección.

—.....................................................

# Esquema gramatical II

|  |
|---|
| DICE QUE + $\begin{cases} \text{PRET. INDEFINIDO} \\ \text{PRET. IMPERFECTO} \end{cases}$ |
| **DICE** QUE ESTA MAÑANA **PERDIÓ** EL TREN |
| **DICE** QUE **HABÍA** MUCHA GENTE EN LA PLAZA |

## Practique

**I.**

**¿Por qué llegó tarde Antonio?**
*«No oyó el despertador».*          .—**Dice que no oyó el despertador.**

1. *«Se levantó a las once».*          .—...........................................
2. *«Perdió el autobús».*          .—...........................................
3. *«Tuvo que coger un taxi».*          .—...........................................
4. *«Le fue difícil coger un taxi».*          .—...........................................
5. *«El coche se estropeó».*          .—...........................................
6. *«Tuvo que bajar a mitad del camino».*          .—...........................................
7. *«Cogió otro taxi».*          .—...........................................
8. *«Llegó muy tarde a la oficina».*          .—...........................................

**II.**

**¿Qué dice Luis?**  *«Había demasiada*          .—**Dice que había demasiada gente**
*gente en la playa».*          **en la playa.**

1. *«El sol era muy fuerte».*          .—...........................................
2. *«El agua estaba caliente».*          .—...........................................
3. *«Los niños jugaban en la arena».*          .—...........................................
4. *«Los turistas tomaban el sol».*          .—...........................................
5. *«A María le dolía la cabeza».*          .—...........................................
6. *«Carmen no se encontraba bien».*          .—...........................................
7. *«Yo estaba cansado».*          .—...........................................
8. *«Todos queríamos volver a casa».*          .—...........................................

# Situación XXXIII

**Práctica oral:** *Imagine un diálogo en estilo indirecto.*

*Jaime.*—¿No has visto a Marta?

*Isabel.*—Esta tarde no ha venido. Me telefoneó a mediodía y dijo que no se encontraba bien.

*Jaime.*—¡Qué lástima! Le he traído la novela que me había pedido. ¿Sabes qué le pasa?

*Isabel.*—Dijo que había ido a la playa el sábado y que había tomado demasiado el sol.

*Jaime.*—No me extraña. Es muy blanca y seguro que quiso broncearse en un solo día. Las mujeres sois tan coquetas...

*Isabel.*—No empieces con tus bromas. No estoy de buen humor.

*Jaime.*—¡Vaya! Tendré que ponerme serio. Por lo visto hoy no es mi día. ¿Sabes si está muy enferma?

*Isabel.*—Dijo que tenía la piel muy roja y que le dolía la cabeza. La ha visto el médico y le dijo que tenía una insolación.

*Jaime.*—¡Pobre chica! Todavía no debe estar acostumbrada a este sol tan fuerte.

*Isabel.*—Dijo que lo había tomado por primera vez este verano.

*Jaime.*—¿La verás hoy?

*Isabel.*—Iré a verla después de las clases, porque está sola y se aburre. ¿Quieres acompañarme?

*Jaime.*—Esta tarde no puedo, porque tengo mucho trabajo. Pero iré a verla mañana si continúa enferma. Si haces el favor, dale esta novela de mi parte. Es muy entretenida. ¡Y dale muchos recuerdos!

# Esquema gramatical

## I.

<table>
<tr><td colspan="2">ESTILO INDIRECTO (continuación)</td></tr>
<tr><td>PRET. INDEFINIDO +</td><td>PRET. IMPERFECTO<br>PRET. PLUSCUAMPERFECTO</td></tr>
</table>

«Tenemos sueño» ⟶ **DIJERON** QUE **TENÍAN** SUEÑO

«No podemos ir» ⟶ **DIJERON** QUE NO **PODÍAN** IR

«Nos duele la cabeza» ⟶ **DIJERON** QUE LES **DOLÍA** LA CABEZA

«He comprado una casa» ⟶ **DIJO** QUE **HABÍA COMPRADO** UNA CASA

«Hemos tomado el sol» ⟶ **DIJERON** QUE **HABÍAN TOMADO** EL SOL

«Ayer llegué tarde» ⟶ **DIJO** QUE AYER **HABÍA LLEGADO** TARDE

## II.

SI **HACE** SOL, **IRÉ** A LA PLAYA

SI **ESTÁS** CANSADO, **ACUÉSTATE** UN RATO

# Practique

## I.

**«Tengo sueño».**  *Carmen.*　　　　**.—Carmen dijo que tenía sueño.**

1. «No puedo acompañaros».  *Miguel.*　.—...............................................
2. «Lo siento mucho».  *Marta.*　　.—...............................................
3. «No sé nadar».  *José.*　　　　.—...............................................
4. «No nos gusta esta lección».  *los alumnos.*　.—...............................
5. «No podemos salir esta noche».  *las enfermeras.*　.—.........................
6. «No quiero ir solo de vacaciones».  *Pedro.*　.—..............................
7. «Estamos muy ocupados».  *los ingenieros.*　.—...............................
8. «Juegan muy mal al fútbol».  *José.*　.—..........................................

---

**DIJO QUE PODÍA** ..........　　　　**DIJO QUE HABÍA PODIDO** ..........

---

## II.

**«He cogido una insolación».**  *Pilar.*　.—**Pilar dijo que había cogido una insolación.**

1. «No he comprado pan».  *Marta.*　.—.............................................
2. «Hemos perdido los libros».  *los niños.*　.—..................................
3. «Me he olvidado de cerrar la puerta».  *José.*　.—............................
4. «Te he escrito diez cartas».  *Luisa.*　.—.......................................
5. «Nos hemos levantado muy tarde».  *Miguel y José.*　.—....................
6. «He aprobado el examen».  *Juan.*　.—...........................................
7. «Hemos estado en el parque».  *Marta y Miguel.*　.—........................
8. «He tenido mala suerte».  *Antonio.*　.—........................................

**Dijo** que **había regado** el jardín ayer por la tarde.

**Dijeron** que **habían jugado** con la arena.

**Dijo** que **había aprendido** a bailar.

**Dijeron** que **preferían** viajar en barco.

**Dijo** que **había comprado** sobres y sellos.

**Me dijo** que **no estaba permitido** fotografiar los cuadros.

**Nos dijo** que **estaba prohibido** aparcar allí.

**Dijo** que le **habían puesto** una multa ayer.

**Dijo** que **había dejado** el bañador en casa.

**Dijeron** que se **habían divorciado.**

# Practique

## ¿QUÉ DIJO ANTONIO?

«Fui a China en 1965».  .—**Dijo que había ido a China en 1965.**

1. «Estuve en París en 1968».    .—.....................................
2. «Compré un paraguas en Londres».    .—.....................................
3. «Vi esa película en París».    .—.....................................
4. «Aprendí a esquiar en Suiza».    .—.....................................
5. «Conocí a Carmen en junio de 1970».    .—.....................................
6. «Me casé con ella en mayo de 1971».    .—.....................................
7. «Tuvimos nuestro primer hijo en enero de 1972».    .—.....................................
8. «Nos divorciamos en marzo de 1973».    .—.....................................

## II.

### SI **VES** A CARMEN, **DALE** ESTA NOVELA

**Tengo hambre.** *come.*   .—**Si tienes hambre, come.**

1. Tengo sed. *bebe.*    .—.....................................
2. Estoy cansado. *descansa.*    .—.....................................
3. Estoy aburrido. *vete al cine.*    .—.....................................
4. Tengo prisa. *coge un taxi.*    .—.....................................
5. Hace calor. *abre la ventana.*    .—.....................................
6. Tenemos hambre. *comed.*    .—.....................................
7. Estamos cansados. *descansad.*    .—.....................................
8. Tenemos sueño. *acostaos.*    .—.....................................

# Hable

—He alquilado un coche.

—*Dijo que había alquilado un coche.*

—Hemos fotografiado los animales del zoo.

—..................................................................

—Tengo mucha prisa.

—..................................................................

—Me divierto mucho en esta ciudad.

—..................................................................

—No me gusta conducir de noche.

—..................................................................

—Está prohibido cruzar con la luz roja.

—..................................................................

—Anoche fuimos al teatro.

—..................................................................

—Hemos hecho cuarenta fotos.

—..................................................................

—Hemos gastado ·todo el dinero.

—..................................................................

—Olvidé tu número de teléfono.

—..................................................................

110

# Situación XXXIV

**Práctica oral:** «*Si me toca la lotería, .....................*»

## [ñ]   PALATAL NASAL SONORA

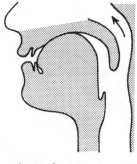

niño
año
baño
bañera
doña
señora
extraño
enseñar
sueño

Articulación de [ñ]

Posición de los órganos articulatorios en la pronunciación de la [ñ]

*Ejercicios prácticos:*

1. El niño se bañaba en la bañera.

2. Doña Rosa es una señora extraña.

3. Si tienes sueño, acuéstate.

4. Dijo que ya había enseñado español el año pasado.

5. Dijeron que el niño estaba en el cuarto de baño.

6. Es muy extraño que no haya llegado doña Carmen.

7. La bañera está en el cuarto de baño.

8. Este año nos quedaremos con los niños en Barcelona

*Teresa.*—¿Podría recibirnos el dentista?

*Enfermera.*—¿Tienen cita para hoy?

*Teresa.*—No. Pero, ¿podría recibirnos igual?

*Enfermera.*—Vamos a ver... Creo que esta mañana está muy ocupado. ¿Quién es el enfermo?

*Teresa.*—Es él. Pero tiene tanto miedo que no se atreve a hablar.

*Enfermera.*—Tranquilícese, hombre. ¿Les importaría esperar un momento?

*Juan.*—Creo que hoy no conseguiremos nada.

*Teresa.*—Eso es lo que te gustaría, ¿no?

*Juan.*—¡Ojalá! He venido una vez. Pero prometí que no volvería. Me hizo mucho daño.

*Enfermera.*—Tienen ustedes suerte. Una de nuestras clientes ha aplazado su visita para mañana. ¿Querrían pasar a la sala de espera?

*Juan.*—Muchas gracias.
—Hemos tenido suerte, ¿verdad?

*Teresa.*—Sí. Pero deberías haber telefoneado antes para concertar una entrevista. Tú siempre lo dejas todo para el último momento. Estás tan asustado que ya te estás poniendo pálido.

*Enfermera.*—Ya pueden pasar.

*Teresa.*—¿Te acompaño dentro?

*Juan.*—No, porque me pondría más nervioso. Prefiero entrar solo.
—¡Aaayy!, ¡Aaayyy!...

*Teresa.*—¡Caramba, Juan! ¡Qué gritos dabas! ¿Cómo te encuentras?

*Juan.*—Bien. Me ha gustado tanto que volveré la próxima semana. Ten, puedes empezar una nueva colección.

# Esquema gramatical

## I.

| CONDICIONAL | COMPRAR<br>COMER<br>ESCRIBIR | + | -ÍA<br>-ÍAS<br>-ÍA<br>-ÍAMOS<br>-ÍAIS<br>-ÍAN | compraría<br>comprarías<br>compraría<br>compraríamos<br>compraríais<br>comprarían |
|---|---|---|---|---|

## II.

| INFINITIVO | FUTURO | CONDICIONAL |
|---|---|---|
| PODER<br>SABER<br>VENIR<br>TENER<br><br>QUERER<br>DECIR<br>HACER | podr-<br>sabr-<br>vendr-<br>tendr-<br><br>querr-<br>dir-<br>har-　　É, ... | PODR-<br>SABR-<br>VENDR-<br>TENDR-<br><br>QUERR-<br>DIR-<br>HAR-　　ÍA, etc. |

## III.

DICE QUE + futuro: ⟶ **DICE** QUE **VENDRÁ**

DIJO QUE + condicional: ⟶ **DIJO** QUE **VENDRÍA**

# Practique

## I.

**Compra un libro.**　　　　　　　　**.—Compraría un libro.**

1. Venden su casa.　　　　　　.—.........................................
2. Estudian español.　　　　　.—.........................................
3. Prefiero cerveza.　　　　　.—.........................................
4. Nos gusta ir al cine.　　　.—.........................................
5. Se divierten mucho.　　　.—.........................................
6. Están muy cansados.　　.—.........................................
7. Es muy interesante.　　　.—.........................................
8. Deseo unas vacaciones.　.—.........................................

| ¿QUÉ **COMPRARÍAS?** | **COMPRARÍA** UN LIBRO |
|---|---|

## II.

**¿Sales de noche?**　　　　　　**.—¿Saldrías de noche?**

1. ¿Tienes tiempo?　　　　　　.—.........................................
2. ¿Hacemos algún deporte?　.—.........................................
3. ¿Vienen ustedes temprano?　.—.........................................
4. ¿Saldrá usted en ese programa?　.—.........................................
5. ¿Dice José la verdad?　　　.—.........................................
6. ¿Te pones ese abrigo?　　　.—.........................................
7. ¿Sabéis hacer los ejercicios?　.—.........................................
8. ¿Hay muchas posibilidades?　.—.........................................

# Amplíe

**¿Querría** usted pasarme la sal?

**¿Podría** traerme un tenedor y una cuchara?

**¿Podrías** darme un cuchillo?

**¿Te gustaría** acompañarnos?

**¿Le importaría** cerrar la ventana?

**¿Podríamos** ir a esquiar este fin de semana?

**Deberías** llevar el impermeable.

**Preferiría** estar en la montaña.

Isabel dijo que **llegaría** a las once.

Dijeron que **pasarían** sus vacaciones en Italia.

# Practique

## I.

**¿Puedes darme un cigarrillo?**       .—**¿Podrías darme un cigarrillo?**

1. ¿Quieres ir al teatro esta noche?   .—.......................................
2. ¿Prefieres sentarte en la silla?    .—.......................................
3. ¿Le importa dejar de fumar?         .—.......................................
4. ¿Me acompañarás al teatro?          .—.......................................
5. ¿Podemos salir esta noche?          .—.......................................
6. ¿Quieres venir conmigo?             .—.......................................
7. ¿Prefieres vivir en el campo?       .—.......................................
8. ¿Os gusta esquiar?                  .—.......................................

## II.

| ¿QUÉ DIJO CARLOS? | DIJO QUE LLEGARÍA ......... |
|---|---|

*«Llegaré el próximo martes».*       .—**Dijo que llegaría el próximo martes.**

1. *«Viajaré en avión».*             .—.......................................
2. *«Os visitaré pronto».*           .—.......................................
3. *«Os enviaré una postal».*        .—.......................................
4. *«Compraré una guitarra».*        .—.......................................
5. *«Aprenderé a tocar la guitarra».* .—.......................................
6. *«Me casaré en septiembre».*      .—.......................................
7. *«Compraré una casa nueva».*      .—.......................................
8. *«Venderé la casa vieja».*        .—.......................................

# Hable

—Dijo que me daría fuego.

—..........................................................................

—..........................................................................

—..........................................................................

—..........................................................................

—..........................................................................

—..........................................................................

—..........................................................................

—..........................................................................

—..........................................................................

# Situación XXXV

**Práctica oral:** *Utilice una fórmula de cortesía en cada situación.*

# Entonación

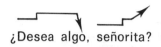

¿Desea algo, señorita?

*Ejercicios prácticos:*

1. ¿Podría recibirnos, señor?
2. ¿Pueden esperar un momento, señores?
3. ¿Puedo pasar, señor director?
4. ¿Le acompaño dentro, caballero?
5. ¿Podemos salir esta noche, señora?
6. ¿Quiere venir conmigo, señorita?
7. ¿Desean fumar, caballeros?
8. ¿Podría darme fuego, señorita?

*Miguel.*—¡Hola! ¿Ya estáis aquí? No os esperaba tan pronto. En vuestra carta decíais que llegaríais a finales de mes.

*Antonio.*—Sí. Pero hemos adelantado el viaje. Así que aquí nos tienes.

*José.*—Veo que te has instalado muy bien. ¿Cómo te encuentras por estas tierras?

*Miguel.*—Me he adaptado fácilmente. ¡Ojalá pueda quedarme aquí mucho tiempo!

*Antonio.*—Tienes una casa muy bonita. ¿Es tuya?

*Miguel.*—No. La he alquilado. Podéis quedaros aquí todo el tiempo que queráis. Esa habitación es doble. Acomodaos en ella. Espero que os encontréis a gusto. Podéis usar la cocina, la nevera, el tocadiscos, mis libros… Todo está a vuestra disposición.

*José.*—Muchas gracias. Eres un gran amigo.

*Miguel.*—A propósito, ¿cómo están nuestros amigos de Madrid?

*Antonio.*—A todos les va muy bien. Te envían muchos recuerdos.

*José.*—Te hemos traído algunos regalos para que no te olvides de la capital. Esperamos que te gusten.

*Antonio.*—Y tu amiga Luisa te envía un bolígrafo para que le escribas. Todos esperan noticias tuyas.

*Miguel.*—Me gustaría escribirles a todos, pero soy muy perezoso. Cualquier día iré a verlos.

*Miguel.*—¿Cuánto tiempo os quedaréis?

*José.*—No lo sabemos. Quizás nos quedemos un par de semanas o .más. No tenemos prisa. Depende de cómo nos encontremos.

# Esquema gramatical

## I.

| | | PRES. INDICATIVO | | | PRES. SUBJUNTIVO |
|---|---|---|---|---|---|
| **VERBOS EN -AR** | Cant | **-O**<br>**-AS**<br>**-A**<br>**-AMOS**<br>**-ÁIS**<br>**-AN** | | Cant | **-E**<br>**-ES**<br>**-E**<br>**-EMOS**<br>**-ÉIS**<br>**-EN** |
| **VERBOS EN -ER -IR** | Com | **-O**<br>**-ES**<br>**-E**<br>**-EMOS**<br>**-ÉIS**<br>**-EN** | Escrib **-O** **-ES** **-E** **-IMOS** **-ÍS** **-EN** | Com<br><br>Escrib | **-A**<br>**-AS**<br>**-A**<br>**-AMOS**<br>**-ÁIS**<br>**-AN** |

## II.

La mayoría de los verbos experimentan en el presente de Subjuntivo las mismas irregularidades que en el presente de Indicativo.

| | PRES. INDICATIVO | PRES. SUBJUNTIVO |
|---|---|---|
| *TENER* | teng-**O** | teng-**A** |
| *TRAER* | traig-**O** | traig-**A** |
| *OÍR* | oig-**O** | oig-**A** |
| *VOLVER* | vuelv-**O** | vuelv-**A** |
| *QUERER* | quier-**O** | quier-**A** |
| *PEDIR* | pid-**O** | pid-**A** |
| *CONOCER* | conozc-**O** | conozc-**A** |

*PERO hay algunos verbos que no siguen esta norma:*

*DAR:* **dé, des, dé, demos, deis, den.**
*ESTAR:* **esté, estés, esté, estemos, estéis, estén.**
*SER, HABER, IR, SABER:* **se-a, hay-a, vay-a, sep-a,** etc.

# Practique

## I.

**¿Verás a José?**                    **.—Quizás lo vea.**

1. ¿Llamará Carmen?            .—..................................
2. ¿Comprarán otra casa?       .—..................................
3. ¿Recibirás una carta?        .—..................................
4. ¿Venderéis el coche?         .—..................................
5. ¿Nadaréis en el río?          .—..................................
6. ¿Estudiará Carmen la lección? .—..................................
7. ¿Escucharán ellos la radio?   .—..................................
8. ¿Escribirá Luis una carta?    .—..................................

| ¿LO VERÁS ........? | ¡QUIZÁS lo vea!<br>¡OJALÁ lo vea! |
|---|---|

## II.

**¿Volverá la primavera?**           **.—¡Ojalá vuelva la primavera!**

1. ¿Tendrás vacaciones en agosto?  .—..................................
2. ¿Pondrán una nueva película?     .—..................................
3. ¿Traerá José muchos regalos?     .—..................................
4. ¿Lloverá mañana?                  .—..................................
5. ¿Harán otro puente sobre el río?  .—..................................
6. ¿Sabrás hacer el examen?          .—..................................
7. ¿Dirá Isabel la verdad?           .—..................................
8. ¿Será feliz con su esposa?        .—..................................

# Amplíe

**Espero que** el avión no se **retrase**.

He llamado a los bomberos **para que apaguen** el fuego.

**Deseo que tengas** un feliz viaje.

**Espero que pare** de llover pronto.

Esperad a que **salga** el sol.

**Depende de** lo que **cueste**.

Todos **esperan que ganes** tú la carrera.

—¿Irás mañana a clase?
—**Depende de cómo** me **encuentre**.

Te envío una postal **para que** te **acuerdes** de mí.

Apaga la luz **para que** no **nos vean**.

# Practique

## I.

**¿Crees que lloverá esta tarde?**    **.—Espero que no llueva esta tarde.**

1. ¿Crees que perderán el tren?    .—.............................................
2. ¿Cree que llegaremos tarde?    .—.............................................
3. ¿Creéis que hará frío mañana?    .—.............................................
4. ¿Creen ellos que nevará este invierno?    .—.............................................
5. ¿Creéis que tendrá suerte?    .—.............................................
6. ¿Crees que ganará la carrera?    .—.............................................
7. ¿Creéis que vendrá Marta?    .—............................. ............
8. ¿Crees que irá a trabajar?    .—.............................................

---

### TE HE TRAÍDO UN PARAGUAS **PARA QUE** NO TE MOJES

---

## II.

**Te he traído un disco.** *escuchar.*    **.—Te he traído un disco para que lo escuches.**

1. Te he traído unos cuentos. *leer.*    .—.............................................
2. Le he regalado un bañador a José. *ir a la playa.*    ..—.............................................
3. Te he comprado un bolígrafo. *escribir.*    .—.............................................
4. Os he traído unas fotografías. *ver.*    .—.............................................
5. Le he dado una corbata a José. *poner.*    .—.............................................
6. Le he dado un paquete de cigarrillos. *fumar.*    .—.............................................
7. Os he traído unos bocadillos. *comer.*    .—.............................................
8. Me han comprado una pelota. *jugar.*    .—.............................................

# Hable

—¿Parará de llover?
—¡Ojalá ........................!

—¿Saldrá el sol esta tarde?
—¡Quizás ........................!

—¿Crees que ganará nuestro caballo?
—..........................................

—¿Crees que se quedará con nosotros?
—..........................................

—¿Apagarán el fuego?
—..........................................

—¿Vendréis a verme el domingo?
—..........................................

—¿Se retrasará el tren?
—..........................................

—¿Aprobaréis el examen?
—..........................................

—¿Podremos esquiar?
—..........................................

—¿Creéis que hará frío?
—..........................................

# Situación XXXVI

**Práctica oral:** *Describa cada uno de los horóscopos según el modelo:*

**ACUARIO**
21 ENERO – 20 FEB.

AMOR: Te sentirás atraído por una de tus amigas. Haréis un viaje juntos. Te aconsejo que actúes con precaución. No conviene que te precipites en tus decisiones.

TRABAJO: Tendrás una oportunidad de mejorar tu situación. No pierdas la ocasión. Conviene que actúes con cautela, pero no te preocupes mucho por cuestiones de tipo económico. El dinero que esperas llegará con toda seguridad.

SALUD: Tendrás una salud excelente toda la semana. Pero te aconsejo que no bebas ni fumes demasiado.

**PISCIS**
21 FEB. – 20 MARZO.

**ARIES**
21 MARZO – 20 ABRIL

**TAURO**
21 ABRIL – 20 MAYO

**GEMINIS**
20 MAYO – 20 JUNIO

**CANCER**
21 JUNIO – 20 JULIO

**LEO**
21 JULIO – 20 AGOSTO

**VIRGO**
21 AGOSTO – 20 SEPT.

**LIBRA**
21 SEPT. – 20 OCT.

**ESCORPION**
21 OCT. – 20 NOV.

**SAGITARIO**
21 NOV. – 20 DÉC.

**CAPRICORNIO**
21 DÍC. – 20 ENERO

*Ibiza: Folklore en el pueblo de San Miguel.*

*Antonio.*—Hay un tal Alberto a la puerta. Pregunta por ti.

*Miguel.*—Es mi amigo. Dile que pase.

*Alberto.*—¡Hola! Hace días que no te veo. No sabía que tenías visita.

*Miguel.*—Son unos amigos que han venido a pasar aquí las vacaciones.

*Antonio y José.*—Bueno, nosotros os dejamos. Vamos a nadar un rato. Hasta luego.

*Alberto.*—Tu apartamento está muy cambiado. Antes siempre lo tenías ordenado.

*Miguel.*—Desde que han llegado ellos, todo es diferente. Les dije que se quedaran todo el tiempo que quisieran. Y parece que han decidido quedarse para siempre. Me vuelven loco. Me molestan continuamente. Si yo leo, ellos ponen el tocadiscos. Si yo escucho música, ellos se ponen a leer o se acuestan y no quieren ruido. Son muy desordenados. Dejan los vasos sucios, tiran todo por el suelo. Me gustaría que se fueran hoy mismo.

*Alberto.*—¿Por qué no les dices que se vayan?

*Miguel.*—Éramos muy buenos amigos y yo mismo los invité. Si ahora les pidiera que se fueran, se enfadarían. Pensarían que soy un hipócrita. No puedo echarlos.

*Alberto.*—¿Cuánto tiempo llevan aquí?

*Miguel.*—Tres semanas. Y todavía no tienen intención de marcharse. Esto les gusta.

*Alberto.*—Creo que están abusando de tu hospitalidad. Si yo estuviera en tu lugar, les diría que se fueran a un hotel.

*Miguel.*—Quisiera echarlos, pero no puedo. Conocen a todos mis amigos. ¿Te imaginas lo que les dirían?

# Esquema gramatical

| SUBJUNTIVO IMPERFECTO | | |
|---|---|---|
| HABLAR | habla- | |
| BEBER | bebie- | -RA |
| VIVIR | vivie- | -RAS |
| DORMIR | durmie- | -RA |
| PEDIR | pidie- | -RAMOS |
| PONER | pusie- | -RAIS |
| HACER | hicie- | -RAN |
| DECIR | dije- | |

## Practique

**Quiero que venga.**      —**¡Ojalá viniera!**

1. Deseo que se vayan.     .—..............................................
2. Espero que llueva.     .—..............................................
3. Creo que llegará mañana.     .—..............................................
4. Espero que salga el sol.     .—..............................................
5. Creo que ganará la carrera.     .—..............................................
6. Espero que tengan suerte.     .—..............................................
7. Deseo que cene conmigo.     .—..............................................
8. Espero que sean felices.     .—..............................................
9. Quiero que duerman más horas.     .—..............................................
10. Deseo que lo hagan juntos.     .—..............................................

## Practique

**I.**

| ¡VEN! | DICE QUE VENGAS |
|---|---|

**Abrid los libros.**     .—**Dice que abráis los libros.**

1. Ponte el abrigo.     .—.............................................
2. No vayas al cine esta noche.     .—.............................................
3. No fuméis en el tren.     .—.............................................
4. Volved pronto.     .—.............................................
5. No piséis el césped.     .—.............................................
6. Dame un cigarrillo.     .—.............................................
7. No hagáis ruido.     .—.............................................
8. Tome una aspirina.     .—.............................................

**II.**

| CIERRA LA VENTANA | DIJO QUE CERRARAS LA VENTANA |
|---|---|

**No salgáis de casa.**     .—**Dijo que no salierais de casa.**

1. Descanse algún tiempo.     .—.............................................
2. No conduzcas deprisa.     .—.............................................
3. No gastes tanto dinero.     .—.............................................
4. Deje usted de fumar.     .—.............................................
5. No olvidéis los libros.     .—.............................................
6. Escuchad la ràdio.     .—.............................................
7. Coge ese paraguas.     .—.............................................
8. Llámame a las diez.     .—.............................................

# Amplíe

**Dijo** que no **aparcáramos** allí.

**Dice** que **apagues** la luz.

**Dice** que **borréis** la pizarra.

**Me dijo** que no **entrara** en el laboratorio.

**Si nos tocara** la lotería, **daríamos** la vuelta al mundo.

**Si funcionara** el ascensor, **subiría** al sexto piso.

**Si hubiera** nieve, **iríamos** a esquiar.

**Si no aprobara** el examen, **repetiría** el curso.

**Si fuera millonario, dejaría** de trabajar.

**Si estuviera** en su lugar, **cambiaría** muchas cosas.

# Practique

## SI GANARA LA CARRERA, ME HARÍA FAMOSO

**I.**

**¿Qué harías si te tocara la lotería?** *comprar una casa.*
**.—Si me tocara la lotería, compraría una casa.**

1. ¿Qué haríais si tuvierais unas vacaciones? *escalar montañas.*

   .—...........................................................................................................

2. ¿Qué harían ellos si tuvieran más dinero? *comprar otro coche.*

   .—...........................................................................................................

3. ¿Qué harías si aprobaras el examen? *hacer un viaje.*

   .—...........................................................................................................

4. ¿Qué harías si fueras presidente? *cambiar el mundo.*

   .—...........................................................................................................

5. ¿Qué harías si hiciera buen tiempo? *ir a la playa.*

   .—...........................................................................................................

6. ¿Qué haría Carmen si tuviera novio? *casarse.*

   .—...........................................................................................................


**II.**

**No tenemos entradas. No podemos ir al cine.**
**.—Si tuviéramos entradas, podríamos ir al cine.**

1. No hay nieve en las montañas. No podemos esquiar.

   .—...........................................................................................................

2. No hace sol. No podemos ir a la playa.

   .—...........................................................................................................

3. No tengo tiempo. No puedo acompañarte.

   .—...........................................................................................................

4. No tengo la llave. No puedo abrir la puerta.

   .—...........................................................................................................

5. No tenemos dinero. No podemos ir de vacaciones.

   .—...........................................................................................................

6. No hay nadie en casa. No podemos entrar.

   .—...........................................................................................................

# Hable

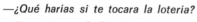

—¿Qué harías si te tocara la lotería?
—Si me tocara la lotería, .........................

—.........................................................
—.........................................................

—.........................................................
—.........................................................

—.........................................................
—.........................................................

—.........................................................
—.........................................................

—.........................................................
—.........................................................

—.........................................................
—.........................................................

—.........................................................
—.........................................................

—.........................................................
—.........................................................

—.........................................................
—.........................................................

# Recuerde

SI **TENGO** TIEMPO, **IRÉ** A VERTE

SI **HA SALIDO** EL TREN DE LAS 9, **COGERÉ** EL DE LAS 10

SI **TIENES** TIEMPO, **VEN** A VERME

SI **HICIERA** SOL, **IRÍAMOS** A LA PLAYA

**ME GUSTARÍA** QUE **APROBARAS** EL EXAMEN

**QUISIERA** QUE **APROBARAS** EL EXAMEN

# Conteste

1. ¿A dónde iréis si hace sol? .—..................................
2. ¿A dónde irías si hiciera sol? .—..................................
3. ¿Qué comprarías si tuvieras un millón? .—..................................
4. ¿Qué haremos si salimos esta noche? .—..................................
5. ¿Qué harás si ya ha salido el tren? .—..................................
6. ¿Dónde vivirías si pudieras elegir? .—..................................
7. ¿A dónde irás si tienes vacaciones? .—..................................
8. ¿Qué le dirías si le escribieras? .—..................................
9. ¿Qué le dirás si la encuentras? .—..................................
10. ¿Qué leerías si tuvieras tiempo? .—..................................

**Práctica oral:** *¿Qué te dijo el médico?*

*José.*—¡Hola! Parece que estás ocupado.

*Miguel.*—Un poco. He estado ordenando las cosas.

*Antonio.*—Nosotros hemos comprado unos carteles y vamos a ponerlos en la habitación. ¿Tienes un martillo y clavos?

*Miguel.*—Hay uno en la caja de herramientas. Pero, por favor, no hagáis muchos agujeros en la pared.

*José.*—No te preocupes. Tendremos cuidado, como siempre.

*Miguel.*—De todas formas, cuando os vayáis, tendré que pintar la casa. Todo está sucio. ¿Habéis decidido la fecha de vuestro regreso?

*Antonio.*—Todavía no. Quisiéramos quedarnos aquí hasta que se nos acabe el dinero. Aún tenemos bastante, y esto nos gusta mucho.

.............................................

*Alberto.*—¿Qué tal?

*Miguel.*—Me alegro de verte.

*Alberto.*—¿Todavía están aquí tus amigos?

*Miguel.*—Sí. Y parece que no tienen intención de marcharse. Acaban de decírmelo.

*Alberto.*—¿Qué vas a hacer para que se vayan?

*Miguel.*—No se me ocurre nada.

*Alberto.*—En mi apartamento hay una habitación libre. Puedes trasladarte allí hasta que se marchen.

*Miguel.*—¿Crees que eso es una solución?

*Alberto.*—No. Pero cuando vean que te vas, quizás comprendan que no deben continuar aquí.

*Miguel.*—No lo creo.

*Alberto.*—Pero allí vivirás más tranquilo.

*Miguel.*—Tienes razón, aunque presiento que estamos complicando las cosas.

*Alberto.*—No te preocupes. Todo saldrá bien.

*Miguel.*—Sí. Pero... Quizás también tú tengas que echarme al cabo de unos días.

# Esquema gramatical

---

**I.**

*Para expresar algo que todavía no ha ocurrido:*

CUANDO

EN CUANTO

TAN PRONTO COMO

HASTA QUE

+ PRESENTE DE SUBJUNTIVO

---

**CUANDO TE VAYAS,** CIERRA LA PUERTA

**CUANDO LLEGUEMOS** A LA CIUDAD, IREMOS AL TEATRO

**TAN PRONTO COMO LLEGUE,** DILE QUE ME LLAME

**EN CUANTO LO VEA,** LE CONTARÉ LO QUE ME HA OCURRIDO

ESPERARÉ **HASTA QUE PARE** DE LLOVER

**II.**

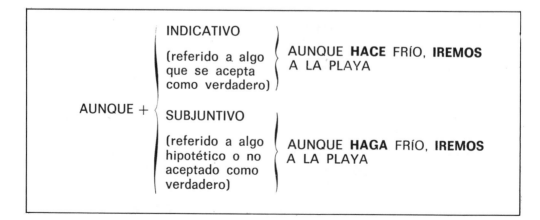

AUNQUE +

INDICATIVO

(referido a algo que se acepta como verdadero)

AUNQUE **HACE** FRÍO, **IREMOS** A LA PLAYA

SUBJUNTIVO

(referido a algo hipotético o no aceptado como verdadero)

AUNQUE **HAGA** FRÍO, **IREMOS** A LA PLAYA

# Practique

## I.

**Si sales, cierra la puerta.   .—Cuando salgas, cierra la puerta.**

1. Si ves a José, salúdalo de mi parte.    —Cuando ...............................
2. Si llama alguien, abre la puerta.    .—En cuanto ...............................
3. Si apruebas el examen, iremos de vacaciones.   .—Cuando .................
4. Si reparan el coche, haremos un viaje. .—Tan pronto como .................
5. Si para de llover, iremos al parque.   .—Cuando ...............................
6. Si regresa Isabel, haremos una fiesta.   .—En cuanto .......................
7. Si puedo, iré a verte.    .—Tan pronto como .................
8. Si vas al museo, te acompañaré.    .—Cuando ...............................

## II.

**Iremos a la ciudad. Visitaremos los museos.**
**.—Cuando vayamos a la ciudad, visitaremos los museos.**

1. Iremos al circo. Nos reiremos mucho.

   .—...................................................................................................

2. Llegará el otoño. Caerán las hojas de los árboles.

   .—...................................................................................................

3. Seré mayor. Trabajaré en una fábrica.

   .—...................................................................................................

4. Seremos ricos. Viviremos cómodamente.

   .—...................................................................................................

5. Tendré vestidos y joyas. Iremos a la ópera.

   .—...................................................................................................

6. Trabajaré doce horas. Compraremos un televisor.

   .—...................................................................................................

7. Tendremos algún dinero. Pintaremos la casa.

   .—...................................................................................................

8. Iremos a la montaña. Dormiremos en una tienda.

   .—...................................................................................................

# Amplíe

**Esperaremos** hasta que **despegue** el avión.

Cuando **seamos** viejos, nos **acordaremos de** nuestra juventud.

Te **seré** fiel hasta que la muerte nos **separe.**

Cuando me **regales** diamantes, te **entregaré** mi amor.

Tan pronto como te **cures, volverás** al trabajo.

En cuanto **apaguen** las luces, **comenzará** la función.

Aunque **estés** lejos, **pensaré** en ti.

Aunque no **pueda** verte, jamás te **olvidaré.**

Aunque el tren **se retrase, estaré** allí a las nueve.

Aunque **ahorres** mucho dinero, nunca **tendremos** suficiente.

# Practique

## I.

**¿Me creerás si te digo la verdad?**    .—**Aunque digas la verdad, no te creeré.**

1. ¿Iremos a la playa si hace sol?                    .—..............................
2. ¿Comprarás un coche si tienes dinero?        .—..............................
3. ¿Irás al médico si te encuentras mal?         .—..............................
4. ¿Visitaréis el museo si vais a la ciudad?      .—..............................
5. ¿Verán la televisión si tienen tiempo?         .—..............................
6. ¿Cambiaréis los muebles si ahorramos dinero?  .—..............................
7. ¿Te casarás si ella te ama?                    .—..............................
8. ¿Irá de vacaciones si aprueba el examen?      .—..............................

**AUNQUE LLUEVA, IREMOS** AL CINE ESTA TARDE

## II.

**amanecer.**                    .—**¿Esperarás hasta que amanezca?**

1. salir el tren.                    .—.................................................
2. parar de llover.                  .—.................................................
3. salir el sol.                     .—.................................................
4. tener veinte años.                .—.................................................
5. volver a casa.                    .—.................................................
6. aprobar el examen.                .—.................................................
7. acabar los ejercicios.            .—.................................................
8. llegar la primavera.              .—.................................................

# Hable

—¿Hasta cuándo esperaréis?

—*Esperaremos hasta que pare de llover.*

—¿Cuándo viviréis en el campo?

—.....................................................

—¿Cuándo volverás a clase?

—.....................................................

—¿Cuándo verás a tu familia?

—.....................................................

—¿Cuándo volveréis a esquiar?

—.....................................................

—¿Cuándo me escribirás?

—.....................................................

—¿Cuándo ahorrarás dinero?

—.....................................................

—¿Hasta cuándo seguirás estudiando?

—.....................................................

—¿Me amarás cuando no sea joven?

—Aunque ...........................................

—¿Me recordarás cuando no puedas verme?

—Aunque ...........................................

# Situación XXXVIII

**Práctica oral:** *¿Qué harás cuando ......?*

# Fonética

---

CONTRASTE «b» - «v»

En el lenguaje hablado la **«b»** y la **«v»** tienen la misma pronunciación.

*Ejercicios prácticos:*

1. Alberto ha venido a pasar sus vacaciones a España.
2. Éramos muy buenos amigos y yo mismo los invité.
3. Son muy buenos vecinos, pero me vuelven loco.
4. Como están de vacaciones, abusan de mi hospitalidad.
5. Cuando vean que te vas, quizás comprendan que no deben continuar aquí.
6. Quizás también tú tengas que venir al cabo de unos días.
7. Vivimos en una habitación muy bonita.
8. Si yo estuviera en su lugar, los invitaría a marcharse.

*Marido.*—¡Buenas noches, Clara!

*Esposa.*—¡Hola, querido! Llegas muy tarde. ¿Has tenido mucho trabajo?

*Marido.*—No. Pero hoy me he levantado con el pie izquierdo.

*Esposa.*—¿Qué te ha pasado?

*Marido.*—Un sinfín de contratiempos: Cuando iba a la oficina, se me paró el coche en medio de la carretera. Telefoneé a un taller y enviaron a un mecánico. Se había roto una pieza del motor y tuve que pedir una grúa para llevarlo al taller. Eran las nueve menos cuarto. A las nueve tenía una entrevista con los representantes de una firma comercial. Cogí el autobús hasta la estación más cercana. Pero el primer tren salía a las 9,30... Te aseguro que estaba desesperado.

*Esposa.*—¿Y qué hiciste, entonces?

*Marido.*—Por casualidad, vi pasar a Juan en su coche. Había salido a hacer unos pagos al Banco y se ofreció a llevarme. Llegué a mi despacho a las diez.

*Esposa.*—Supongo que te estarían esperando los dos representantes.

*Marido.*—Por desgracia, no. Esperaron media hora. La secretaria me disculpó y les rogó que volvieran mañana.

*Esposa.*—¿Se enfadó el jefe contigo?

*Marido.*—Estaba hecho una furia. Me dijo que no sabía cómo justificar mi ausencia. Pero luego se calmó.

*Esposa.*—¿Y no podía haber entrevistado a los representantes otro empleado?

*Marido.*—Imposible. Yo era el único que conocía bien el caso y, además, tenía todos los documentos.

# Esquema gramatical

| | |
|---|---|
| ADJETIVOS QUE REDUCEN LA TERMINACIÓN ANTE UN SUSTANTIVO MASCULINO. | |
| Vivo en el **PRIMER** piso | Vivo en el **PRIMERO** |
| Vivo en el **TERCER** piso | Vivo en el **TERCERO** |
| ¿Hay **ALGÚN** lápiz sobre la mesa? | Sí, hay **ALGUNOS** |
| Llama a la **PRIMERA** puerta | Llama a la **PRIMERA** |
| ¿Has recibido **ALGUNA** carta? | Sí, he recibido **ALGUNAS** |

## Practique

**I.**

**¿En qué piso vives?**  *1.°*        **.—Vivo en el primer piso.**

1. ¿A qué puerta has llamado?  *3.ª*    —.............................................
2. ¿En qué lección estáis?  *4.ª*    —.............................................
3. ¿En qué coche va tu hermano?  *3.°*    —.............................................
4. ¿Qué ejercicio haces?  *1.°*    —.............................................
5. ¿Cuál es la ventana de tu habitación?  *5.ª*    —.............................................

**II.**

**hombre / plaza.**        **.—¿Hay algún hombre en la plaza?**

1. árbol / calle.    —.............................................
2. cuadro / pared.    —.............................................
3. profesor / clase.    —.............................................
4. martillo / habitación.    —.............................................
5. periodista / calle.    —.............................................

El cuerpo humano

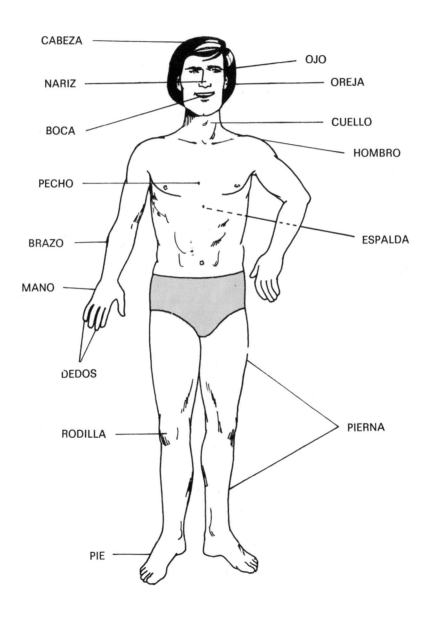

CABEZA

OJO

NARIZ

OREJA

BOCA

CUELLO

HOMBRO

PECHO

BRAZO

ESPALDA

MANO

DEDOS

RODILLA

PIERNA

PIE

## Practique

### I.

**Consigo ganar la carrera.**        **.—Conseguí ganar la carrera.**

1. Voy de excursión los domingos.   .—..........................................
2. Prefiero el vino frío.   .—..........................................
3. Me pide el pasaporte.   .—..........................................
4. Duermo hasta las once.   .—..........................................
5. Queremos escalar esa montaña.   .—..........................................
6. Salgo de la oficina muy tarde.   .—..........................................
7. Vienen de una excursión.   .—..........................................
8. Llueve cada día.   .—..........................................

| | |
|---|---|
| CONSIGO | CONSEGUÍ |
| HAGO | HICE |
| VOY | FUI |

### II.

1. ¿Cuándo subió el autobús?   .—..........................................
2. ¿Cuándo se levantó Juan?   .—..........................................
3. ¿Cuándo me vio usted?   .—..........................................
4. ¿Cuándo llegó a la ciudad?   .—..........................................
5. ¿Cuándo compraron ese coche?   .—..........................................
6. ¿Cuándo fuisteis de excursión?   .—..........................................
7. ¿Cuándo te pidieron dinero?   .—..........................................
8. ¿Cuándo vendieron el piso?   .—..........................................

# Hable

Piernas / largas

*Decía que sus piernas eran largas.*

Uñas / pintadas

...............................................................

Dedos / gordos

...............................................................

Pelo / largo

...............................................................

Pies / grandes

...............................................................

Nariz / ancha

...............................................................

Boca / grande

...............................................................

Hombros / anchos

...............................................................

Manos / pequeñas

...............................................................

Cuello / largo

...............................................................

## Recuerde

| | |
|---|---|
| CONMIGO | CON NOSOTROS |
| CONTIGO | CON ÉL, etc. |

## I.

**¿Con quién vas al cine?** *Pepe.*   :—**Voy al cine con Pepe.**

1. ¿Con quién trabajas? *ellos.*   .—...........................................
2. ¿Con quién deseas estudiar? *tú.*   .—...........................................
3. ¿Con quién fuiste al zoo? *ellas.*   .—...........................................
4. ¿Con quién te encontraste esta mañana? *él.*   .—...........................................
5. ¿Con quién iréis a la estación? *usted.*   .—...........................................
6. ¿Con quién tocaremos la guitarra? *vosotros.*   .—...........................................
7. ¿Con quién podemos contar? *yo.*   .—...........................................
8. ¿Con quién estabas hablando? *tú.*   .—...........................................

## II.

**Quiero un lápiz para escribir.**   .—**Quiero un lápiz para que escribas.**

1. Deseo un libro para leer.   .—...........................................
2. Compraré un coche para viajar.   .—...........................................
3. Te doy dinero para divertirme.   .—...........................................
4. Iremos a Madrid para ver el Museo del Prado.   .—...........................................
5. Busco un piso para vivir tranquilo.   .—...........................................
6. Llevaré agua para beber.   .—...........................................
7. Traigo unos documentos para estudiarlos.   .—...........................................
8. La casa tiene un jardín para descansar.   .—...........................................

# Practique

## I.

**Es una bicicleta grande.** .—**Es una de las bicicletas más grandes.**

1. Es una moneda vieja. .—.............................................
2. Es una montaña alta. .—.............................................
3. Es un invierno frío. .—.............................................
4. Es un cine caro. .—.............................................
5. Es un niño inteligente. .—.............................................
6. Es una película aburrida. .—.............................................
7. Es una revista interesante. .—.............................................
8. Es un examen difícil. .—.............................................

ES **UNO DE LOS** COCHES **MÁS** RÁPIDOS

## II.

**Puede hacerlo.** .—**Dice que puede hacerlo.**

1. Vendrá temprano. .—.............................................
2. Luisa no tiene coche. .—.............................................
3. Aprobaron el examen. .—.............................................
4. Iremos de vacaciones a Galicia. .—.............................................
5. Estuvo esperando hasta las doce. .—.............................................
6. Ha telefoneado cuatro veces. .—.............................................
7. No sabía cómo justificarse. .—.............................................
8. Está enfadado con el jefe. .—.............................................

# Situación XXXIX

**Práctica oral:** *En un Banco.*

*Pablo.*—¿Ya has vuelto de tu viaje a Madrid?

*Jorge.*—Llegué anoche. Todavía estoy cansado. Han sido unos días interesantes, pero agotadores.

*Pablo.*—¿Y qué te pareció la capital?

*Jorge.*—Me gustó mucho; pero en una semana no se puede ver todo.

*Pablo.*—Visitarías el Museo del Prado, ¿no?

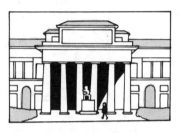

*Jorge.*—Claro. Pasé allí una mañana entera. Es algo extraordinario. Y hay tantas salas que es imposible verlo todo. Yo sólo me detenía ante los cuadros que más me gustaban.

*Pablo.*—¿Y qué fue lo que más te gustó?

*Jorge.*—Me gustaron mucho los cuadros de Velázquez, en especial «Las Meninas», y las pinturas de Goya, sobre todo «Los Caprichos», «Las Tauromaquias», «Los Disparates»... Creo que Goya se adelantó a la pintura de su tiempo.
Al día siguiente visité el Museo de Arte Moderno. Si vas a Madrid, no vuelvas sin verlo.

*Pablo.*—Dicen que en Madrid hay mucha animación por la noche...

*Jorge.*—Cierto. Una noche fuimos a los mèsones a tomar unas tapas y lo pasamos muy bien. El vino y la sangría animan a cualquiera.

*Pablo.*—¿Estuviste en El Escorial?

*Jorge.*—No. No tuve tiempo. Sólo visité los jardines de Aranjuez. Pero quedé con ganas de volver. La próxima vez visitaré toda Castilla.

El profesor **comenzó a** repartir los premios.

María **no para de** hablar.

En la oficina **hablamos de** fútbol.

Ayer **hablé con** un torero.

Estoy **pensando en** mis vacaciones.

José **se dedica a** la venta de pisos.

**No abuses de** tu fuerza.

**Me enfadé con** mi novia.

**Se ofreció a** llevarme las maletas.

Ayer **me entrevisté con** el director de la empresa.

# Practique

**I.** *Conteste a las siguientes preguntas:*

1. ¿Con quién hablaste ayer? .—.....................................
2. ¿Cuándo comenzaste a estudiar español? .—.....................................
3. ¿A qué hora paró de llover? .—.....................................
4. ¿De qué hablaste con José? .—.....................................
5. ¿En quién estás pensando? .—.....................................
6. ¿A qué se dedica usted? .—.....................................
7. ¿Con quién se enfadó el profesor? .—.....................................
8. ¿Con quién te entrevistarás mañana? .—.....................................

| ¿CON QUIÉN HABLASTE? | HABLÉ CON EL MÉDICO |
|---|---|

**II.** *Pregunte, usando los verbos siguientes:*

1. *tú / hablar con.* .—.....................................
2. *José / dedicarse a.* .—.....................................
3. *Antonio / ofrecerse a.* .—.....................................
4. *Isabel / enfadarse con.* .—.....................................
5. *vosotros / pensar en.* .—.....................................
6. *Pedro y Luis / hablar de.* .—.....................................
7. *él / abusar de.* .—.....................................
8. *Ana / comenzar a.* .—.....................................

# Hable: estilo indirecto

—Pepe dice que juega al fútbol.

—...................................................

—...................................................

—...................................................

—...................................................

—...................................................

—...................................................

—...................................................

—...................................................

—...................................................

# Practique

I.

**Hace dos años que vivo en la ciudad.**　　　.—**Vivo en la ciudad desde hace dos años.**

1. Hace una hora que estoy estudiando.　　　.—.................................
2. Hace tres años que trabajamos juntos.　　.—.................................
3. Hace dos meses que me baño todos los días.　.—.................................
4. Hace cinco días que está resfriado.　　　.—.................................
5. Hace cinco horas que te espero.　　　　.—.................................
6. Hace 10 meses que no veo a mis hermanos.　.—.................................
7. Hace una semana que no come nada.　　　.—.................................
8. Hace diez días que tiene coche.　　　　.—.................................

## SI YO FUERA RICO ......................

II.

**Si tuviera dinero, iría a Madrid.**　　　　.—**¿Irías a Madrid si tuvieras dinero?**

1. Si tuviera coche, iría al campo.　　　　.—....................................
2. Si hiciera sol, iría a la playa.　　　　.—....................................
3. Si estuviera enfermo, iría al médico.　　.—....................................
4. Si perdiera el tren, cogería un taxi.　　.—....................................
5. Si no lloviera, iría a la playa.　　　　.—....................................
6. Si tuviera hambre, comería.　　　　　.—....................................
7. Si hiciera frío, compraría un abrigo.　　.—....................................
8. Si aprobara el examen, iría de vacaciones.　.—....................................

# Hable: fórmulas de cortesía

—¿**Podría** usted venir conmigo?

—.................................................

—.................................................

—.................................................

—.................................................

—.................................................

—.................................................

—.................................................

—.................................................

—.................................................

# Practique

## I.

|  | |
|---|---|
| **El hombre es bueno.** | **.—El hombre que viste es bueno.** |

1. El barco llegó ayer.    .—............................................
2. El joven está en la cárcel.    .—............................................
3. Ese caballo es de Pedro.    .—............................................
4. Los trajes me gustan.    .—............................................
5. La silla está rota.    .—............................................
6. Aquel señor vino por la mañana.    .—............................................
7. La secretaria se puso enferma.    .—............................................
8. El profesor tuvo un accidente.    .—............................................

| LLÉVA**LE** ESTE LIBRO | LLÉVA**SELO** |
|---|---|

## II.

|  | |
|---|---|
| **Compra una corbata para Pedro.** | **.—Cómprale una corbata.** |

1. Trae un helado para mí.    .—............................................
2. Pide la comida para nosotros.    .—............................................
3. Regala un libro a Pedro.    .—............................................
4. Alquila un coche para el jefe.    .—............................................
5. Escribe una carta para él.    .—............................................
6. Pregunta la hora a la secretaria.    .—............................................
7. Compra un disco para María.    .—............................................
8. Envía este paquete a tus padres.    .—............................................

*Arte románico español (Lérida)*

# Lista de palabras

## A

abogado
aburrirse
abusar
acabar
acabarse
academia
accidente
aceptar
acomodarse
acompañante
acompañar
aconsejar
acordarse
acostarse
acostumbrada
actriz
actualmente
adaptar
adelantarse
aeropuerto
afortunado
África
agotador
agotarse
agujero
ahorrar
alegrarse
alegre
alguien
alguno
almacén
alquilar
allá
amanecer
amor
Andalucía
andaluz
andar
anillo
animación
animal
anoche
ante
anterior
aparcar
aplazar
apresurada
aprobar
aquella
Aranjuez

arrancar
arruinarse
arte
artista
asaltar
ascensor
asegurar
asistir
aspecto
aspirina
asustado
asustar
aunque
ausencia
ayer
¡Ay!

## B

baile
bajar
bañador
bañarse
barco
bella
Bilbao
blanca
boca
bodega
bolígrafo
bolsillo
bomberos
borrar
brazos
broma
broncearse

## C

cabeza
Cádiz
caerse
cajero
calcular
calentarse
calma
calmarse
calzado
cambiado

cansarse
capital
capricho
Caprichos (Los)
cara
caramba
cárcel
carteles
carretera
casarse
Castilla
celebrar
céntrico
cerca
césped
cesto
cielo
circo
cita
Clara
clavo
colección
colegio
Colón
comenzar
comercial
cómodamente
competencia
complicar
concertar
concurso
conmigo
consecuencia
conseguir
construcción
contentarse
contento
contestar
contigo
continuación
continuo
continuar
contratiempo
convencer
coqueta
correctamente
correo
correspondencia
cortar
cosa
costumbre
creer

crisis
crítico
cuál
cualquiera
cuchara
cuchillo
cuello
cuenta
cuidado
cuidarse
culpa
curarse
chaqueta
chica
chocar

## D

daño
deber
decepción
dedicación
dedicarse
dedo
demasiado
dentista
depender
deprisa
depósito
desaparecer
desayuno
descalzo
descubrir
desde
despacio
despacho
despegar
despertador
despertar
despertarse
detenerse
diamante
dirección
discoteca
disgustado
disgusto
Disparates (Los)
disposición
distancia
divertirse

divorciarse
doble
documental
documento
doler
dolor
dormirse
dudar
ducharse
durante
duro

**E**

echar
ejercicio
electrodomésticos
empresa
enamorarse
encanto
encontrarse
enfadado
enfadarse
enorme
enseguida
enseñar
ensuciarse
entender
entierro
entradas
entrar
entretenida
entrevista
entrevistar
entrevistarse
escalera
escaparate
Escorial
eso
espalda
especial
esperar
esposa
esquiar
esquina
estrella
estreno
estropearse
exagerar
exclusivamente
exclusivo
exigir
éxito
experiencia
exponer
exposición
extraordinario

**F**

fabricar
facilidad
fácilmente
famoso
farmacia
fatiga
fatigado
fecha
fiebre
Fidel
fiel
fijo
flamenco
florero
fotografía
fotógrafo
fresco
frigorífico
frutería
frutero
fuerza
fugarse
fugaz
función
furia

**G**

gafas
gallo
ganar
gasolina
gasolinera
Goya
granada
grave
grúa
guantes
guapa
guardia
gustar

**H**

harto
hasta
herramienta
hierba
hipócrita
historia
hoja
hombro
hospitalidad
humor

**I**

igual
imaginar
impermeable
importante
imposible
impresionar
inconstancia
inconstante
indiferente
informar
ingreso
insolación
interés
interesada
irse

**J**

Jaime
jamás
Javier
jefe
joyas
joyería
joyero
juego
juez
justificar
juventud

**K**

kilómetro

**L**

laboratorio
lago
lámpara
lápiz
lástima
lavarse
lejos
León
levantarse
loco
Londres
lotería
Lucas
lucero
lugar
lujoso
luz

**LL**

llenar

**M**

Madrid
maestro
magnífico
manzana
mar
marcharse
marinero
martillo
Matilde
mecánico
mecanografía
medalla
melocotón
Meninas (Las)
mentira
menudo
mercado
merendar
mesón
meterse
miedo
millón
millonario
mina
ministro
minuto
mirarse
mitad
mojado
mojarse
molestar
momento
mono
monótono
montaña
montar
morir
motor
moverse
mueble-bar
muela
muerte
muerto
mujer
multa
mundo
música

**N**

nadie
nariz

naturalmente
necesidad
negarse
negocio
nervioso
nieve
ninguno
nombre
novia

## O

observar
ocasión
ocultarse
ocupar
ocurrir
ofendida
ofrecer
ofrecerse
olvidarse
ópera
operación
optimista
ordenado
oreja
oscurecer

## P

Paco
pagos
pájaro
pálido
pan
pantano
papá
papelera
paraguas
parar
pararse
París
pasado
pasearse
paseo
payaso
pecho
peinar
peor
Pepe
pera
pereza
permitir
pescar
pesimista
Picasso

pie
pierna
pieza
pintarse
pintor
pintura
pisar
pizarra
Pizarro
plátano
pobre
poema
poesía
ponerse
posibilidad
posiblemente
postal
practicar
preguntas
premio
preocupaciones
preocupado
preocuparse
preparado
presentar
presentir
presidente
primavera
prisa
procesión
producir
profunda
prohibir
promesa
pronto
psiquiátrico
pueblo
puente
puerto
puesto
pulsaciones

## Q

quejarse
quemarse
querido
queso
quitarse
quizás

## R

rabo
ramblas
realidad

realmente
recordar
recuerdo
refugiarse
regar
regreso
reírse
reloj
rellenar
repetir
representante
responder
retirar
retrasarse
reunión
rica
robar
robo
rodilla
Rodríguez
rogar
Roma

## S

sacar
sal
sala
sangría
secarse
seguro
sello
semáforo
sentarse
sentirse
separar
seriedad
serio
Sevilla
sevillana
sexto
siguiente
sin
sinfín
singular
sitio
soler
soltero
solución
sonar
sonreír
sorprender
subir
suelo
suerte
suficiente
Suiza

supermercado
Susana

## T

tablao
tal
taller
tapas
taquigrafía
Tauromaquias (Las)
televisor
temprano
tenedor
terminar
terraza
tierra
tipismo
tirar
tomarse
Tomás
tonto
torero
tradición
tranquilizarse
tranquilo
trasladarse
triste

## U

uñas
uva

## V

vacaciones
vacía
vaciar
valer
varios
Velázquez
venta
versos
vestirse
viaje
vida
vigilar
visita

## Z

zapatería
zoo
zumo

# Expresiones

a gusto
a finales
¡Ay!
¡caramba!
de todo
en cuanto
¡ojalá!
por casualidad
por desgracia
tan pronto como
¡uf!
¡vaya!

# Indice

| | | |
|---|---|---|
| **21** | ME LEVANTO A LAS SIETE | 1 |
| **22** | ¿DÓNDE VIVÍAS ANTES? | 9 |
| **23** | HOY NO VOY A TRABAJAR | 17 |
| **24** | TENGO QUE VOLVER AL TRABAJO | 25 |
| **25** | NO HAY NADIE EN CASA | 33 |
| **26** | TE LLAME PARA INVITARTE A UNA FIESTA | 41 |
| **27** | TUVIMOS QUE CENAR SOLOS | 49 |
| **28** | ¿HAS VISTO MIS CUADROS? | 57 |
| **29** | SE NECESITA SECRETARIA | 65 |
| **30** | ¡QUÉ PESIMISTA ERES! | 73 |
| **31** | ESTRELLA FUGAZ | 81 |
| **32** | YA SE HABÍAN IDO | 89 |
| **33** | DICE QUE HACE MUCHO CALOR | 97 |
| **34** | DIJO QUE HABÍA TOMADO EL SOL | 105 |
| **35** | ¿PODRÍA RECIBIRNOS? | 113 |
| **36** | ESPERO QUE OS ENCONTRÉIS BIEN | 121 |
| **37** | SI YO ESTUVIERA EN TU LUGAR | 129 |
| **38** | QUISIÉRAMOS QUEDARNOS | 137 |
| **39** | ¿QUÉ TE HA PASADO? | 145 |
| **40** | ¿YA HAS VUELTO DE MADRID? | 153 |
| | LISTA DE PALABRAS | 161 |
| | EXPRESIONES | 164 |

# ESPAÑOL EN DIRECTO

## Nivel 1A (Sánchez, Ríos, Domínguez).

- Libro del alumno
- Cuaderno de ejercicios
- Libro con los ejercicios estructurales
- Guía didáctica
- 4 cassettes (ejercicios estructurales)
- 2 cassettes (diálogos) C-60
- 220 diapositivas

## Nivel 1B (Sánchez, Ríos, Domínguez)

- Libro del alumno
- Cuaderno de ejercicios
- Libro con los ejercicios estructurales
- Guía didática
- 5 cassettes (ejercicios estructurales)
- 1 cassette (diálogos) C-60
- 168 diapositivas

## Nivel 2A (Sánchez, Cabré, Matilla)

- Libro del alumno
- Cuaderno de ejercicios
- Guía didáctica
- Libro con los ejercicios estructurales (2A y 2B)
- 3 cassettes de ejercicios estructurales (2A y 2B)
- 1 cassette con los diálogos

## Nivel 2B (Sánchez, Cabré, Matilla)

- Libro del alumno
- Cuaderno de ejercicios
- Guía didáctica
- Libro con los ejercicios estructurales (2A y 2B)
- 2 cassettes con los textos de lectura